C0-ARU-301

# El año del Mono

# El año del Mono

Patti Smith

Traducción del inglés de
Ana Mata Buil

Lumen

*narrativa*

Papel certificado por el Forest Stewardship Council®

Título original: *Year of the Monkey*

Primera edición con esta encuadernación: julio de 2024



*Printed in Spain* – Impreso en España

ISBN: 978-84-264-3157-8
Depósito legal: B-12.874-2024

Compuesto en M. I. Maquetación, S. L.

Impreso en Liber Digital, S. L.
Casarrubuelos (Madrid)

H 4 3 1 5 7 8

Un sinsentido mortal gobierna el mundo.

ANTONIN ARTAUD

# En el Oeste profundo

Ya estaba bien entrada la noche cuando el automóvil paró delante del Dream Motel. Pagué al taxista, me aseguré de no dejarme nada y toqué el timbre para despertar a la propietaria. Son casi las tres de la madrugada, me dijo, pero me tendió la llave y un botellín de agua. Mi habitación estaba en la planta baja y daba al muelle alargado. Abrí la puerta corredera de cristal que daba al patio privado y me deleité con el sonido de las olas, acompañado del leve rugido de los leones marinos, tumbados en los tablones que había debajo del embarcadero. ¡Feliz Año Nuevo!, grité. Feliz Año Nuevo a la luna menguante, al mar telepático.

El trayecto desde San Francisco había durado poco más de una hora. En el coche me había notado totalmente despejada, pero de pronto me sentí abatida. Me quité el abrigo y dejé la puerta corredera abierta una rendija para escuchar las olas, pero al instante me sumí en un facsímil del sueño. Me desperté con brusquedad, fui al cuarto de baño, me cepillé los dientes, me quité las botas y volví a la cama. Tal vez soñé algo.

Mañana del día de Año Nuevo en Santa Cruz, todo bastante muerto. Me entraron unas ganas repentinas de un desayuno en concreto: café solo y sémola de maíz con cebollas tiernas. Era muy poco probable que consiguiera ese manjar allí, pero un plato de huevos con jamón también serviría. Agarré

Dream
Inn

la cámara y bajé por la colina hacia el muelle. Un cartel luminoso relucía medio oculto por las altas y esbeltas palmeras, y me di cuenta de que, en realidad, no se trataba de un motel. El cartel rezaba DREAM INN y estaba coronado por una explosión estelar que recordaba la era del *Sputnik*. Me detuve a admirarlo y saqué una foto con la Polaroid, esperé a que la imagen se revelara y me la metí en el bolsillo.

—Gracias, Dream Motel —dije, medio al aire, medio al cartel luminoso.

—¡Dream Inn! —exclamó el cartel.

—Ay, sí, perdona —contesté, bastante aturdida por su respuesta—. A pesar del nombre, no he soñado nada.

—¿De verdad? ¡Nada!

—¡Nada!

No pude evitar sentirme igual que Alicia, interrogada por la Oruga que fuma el narguile. Bajé la mirada hacia los pies, para evitar la energía escudriñadora del cartel luminoso.

—Bueno, gracias por la foto —le dije, y me dispuse a alejarme.

Sin embargo, mi partida se vio frenada por un elenco inesperado de imágenes animadas de Tenniel, el ilustrador de *Alicia en el País de las Maravillas*: la Falsa Tortuga erguida. El pez y la rana sirvientes. El Dodo, que luce su única e inmensa manga de americana; la horripilante Duquesa y el Cocinero, y la propia Alicia, que preside taciturna una interminable merienda para tomar el té en la que, que nos perdonen a todos, no se sirve té. Me pregunté si el repentino bombardeo de imágenes era una autosugestión o cortesía de la carga magnética del cartel luminoso del Dream Inn.

—¿Y ahora qué pasa?

—¡La mente! —exclamé, exasperada, mientras los bocetos animados se multiplicaban a un ritmo alarmante.

—¡La mente, que se despierta! —contestó el cartel luminoso ahogando una risa triunfal.

Me di la vuelta y rompí la transmisión. En realidad, como soy un poco bizca, a menudo experimento esos saltos de visión, por norma general hacia la derecha. Además, una vez que se despierta por completo, el cerebro está receptivo a toda clase de señales, pero no pensaba confesárselo a un cartel.

—¡No he soñado nada! —repetí con un grito tozudo mientras bajaba la colina flanqueada por salamandras flotantes.

Al pie de la colina había un tugurio roñoso con la palabra CAFÉ escrita en letras de casi dos palmos de alto encima del cristal del escaparate, con un cartel debajo que decía ABIERTO. Dado que habían dedicado una parte tan prominente del ventanal a la palabra «café», supuse que debían de hacerlo bastante bueno; tal vez incluso tuvieran dónuts espolvoreados con canela. Pero en cuanto puse la mano en el pomo, me fijé en otro cartelito más pequeño que se balanceaba: CERRADO. Ni una explicación, ni un mísero «Vuelvo dentro de veinte minutos». Tuve un mal presentimiento en cuanto al café y perdí toda esperanza de conseguir dónuts. Imaginé que la mayor parte de la gente estaba encerrada en casa con resaca. No se puede reprochar a una cafetería que esté cerrada el día de Año Nuevo, aunque, en mi opinión, un café podría ser el remedio perfecto después de una noche de fiesta y excesos.

Privada del café, me senté en el banco exterior y repasé los flecos de la velada anterior. Había sido la última de tres noches seguidas de actuación en el Fillmore y estaba afinando las cuerdas de mi Stratocaster cuando un tipo con una coleta grasienta se inclinó sobre mí y me potó encima de las botas. Las últimas náuseas de 2015, una salpicadura de vómito que me acompañó en la entrada del Año Nuevo. ¿Era un buen o un mal augurio?

En fin, teniendo en cuenta el estado general del mundo, ¿quién apreciaría la diferencia? Al recordarlo, rebusqué en los bolsillos hasta dar con una toallita húmeda, que suelo reservar para limpiar la lente de la cámara, me arrodillé y me limpié las botas. Feliz Año Nuevo, les dije.

Mientras pasaba con sigilo por delante del cartel luminoso, una curiosa retahíla de frases encadenadas me vino a la mente, así que saqué un lápiz del bolsillo para apuntarlas enseguida. «Pájaros cenicientos rodean la ciudad cubierta de polvo nocturno / Prados errantes adornados con niebla / Un palacio mítico que aún era un bosque / Hojas que no son más que hojas.» Es el síndrome del poeta seco, que necesita sacar inspiración del aire errático, igual que Jean Marais en el *Orfeo* de Cocteau, que se encierra en un abarrotado garaje en las afueras de París, dentro de un Renault destartalado, sintoniza distintas frecuencias de radio y garabatea fragmentos en papelillos sueltos: «Una gota de agua contiene el mundo», etcétera.

De vuelta en la habitación del hotel, localicé unos sobrecitos de Nescafé y un pequeño hervidor eléctrico. Me preparé un café, me arropé con la manta, abrí las puertas correderas y me senté en el reducido patio de cara al mar. Un murete bajo me tapaba parte de la vista, pero tenía mi café, oía las olas del mar y me sentía razonablemente satisfecha.

Entonces pensé en Sandy. En teoría tenía que estar conmigo, en otra habitación al fondo del pasillo. Íbamos a encontrarnos en San Francisco antes de los conciertos de la banda en el Fillmore para hacer lo de siempre: tomar un café en Caffe Trieste, repasar con detenimiento las estanterías de la librería City Lights y pasearnos con el coche arriba y abajo por el Golden Gate, mientras escuchábamos a The Doors, Wagner y Grateful Dead. Sandy Pearlman, el compañero al que conocía desde hacía más de cuatro décadas, con su acelerada cadencia que rompía el ciclo de *El anillo de los nibelungos* o un *riff* de Benjamin Britten, siempre nos acompañaba cuando tocábamos en el Fillmore, con su trotada cazadora de cuero y su gorra de béisbol, inclinado sobre un vaso de ginger ale en la mesa de siempre detrás de una cortina cerca del vestuario. Nuestra intención era romper filas después del concierto de Nochevieja y conducir esa madrugada entre la agitada niebla hasta Santa Cruz. El plan era comer el día de Año Nuevo en su taquería secreta, cerca del Dream Motel.

Sin embargo, nada de todo eso llegó a ocurrir, porque habían encontrado a Sandy solo, la víspera de nuestro primer concierto, inconsciente en un aparcamiento de San Rafael. Lo trasladaron a un hospital del condado de Marin, tras haber sufrido una hemorragia cerebral.

La mañana de nuestro primer concierto, Lenny Kaye y yo fuimos a la UCI de ese hospital. Sandy estaba en coma, con tubos por todas partes, rodeado de un silencio espeluznante. Nos colocamos uno a cada lado de la cama y prometimos que seguiríamos mentalmente conectados a él, que dejaríamos un canal de comunicación abierto, listos para interceptar y aceptar cualquier señal. No solo las esquirlas del amor, como solía decir Sandy, sino el cáliz entero.

Regresamos a nuestro hotel en Japantown, casi incapaces de articular palabra. Lenny sacó la guitarra y nos dirigimos a un local llamado On the Bridge, situado en el pasaje que comunicaba la parte este y la oeste del centro comercial. Nos sentamos junto a una mesa de madera verde, en tal estado de shock que nos habíamos quedado mudos. Las paredes eran amarillas, decoradas con pósteres de manga japonés, *Hell Girl* y *Wolf's Rain* y colecciones de cómics que se parecían más a novelas de bolsillo. Lenny tomó *katsu curry* con cerveza Asahi Super Dry y yo pedí unos espaguetis con huevas de pez volador y un té oolong. Comimos, compartimos un sake con solemnidad, luego nos desplazamos hasta el Fillmore para la prueba de sonido. No podíamos hacer nada salvo rezar y tocar sin la entusiasta presencia de Sandy. Nos zambullimos en la primera de tres noches de acoples de los micros, poesía, combates de improvisación, política y rock and roll, con tanto ímpetu y tanta entrega que me quedé sin resuello, como si pudiéramos despertarlo con el sonido.

La mañana en que yo cumplía sesenta y nueve años, volví con Lenny al hospital. Permanecimos un rato junto a la cama de Sandy y, pese a saber que era una promesa imposible, juramos que no nos separaríamos de él. Lenny yo nos miramos a los ojos, sabedores de que, en realidad, no podíamos quedarnos. Había trabajo que hacer, conciertos que dar, vidas con las que seguir, aunque fuera sin pensar. Estábamos condenados a celebrar mi sexagésimo noveno cumpleaños en el Fillmore sin Sandy. Esa noche, di la espalda al público un instante durante el solo de «If 6 Was 9», contuve las lágrimas mientras las oleadas de palabras se superponían a otras oleadas, se fundían con imágenes de Sandy, todavía inconsciente, esperándome al otro lado del Golden Gate.

Cuando cumplimos con los compromisos en San Francisco, dejé atrás a Sandy y me dirigí sola a Santa Cruz. No me sentí con ánimo de cancelar su habitación, y me quedé en el asiento posterior del coche, oyendo el remolino de su voz. «Matrix Monolith Medusa Macbeth Metallica Machiavelli.» El particular juego de Sandy con la M, directo a la borla de terciopelo, con indicaciones que lo llevaban nada menos que hasta la Biblioteca de Imaginos.

Me senté en el patio anexo a mi habitación, envuelta en una manta como una convaleciente de *La montaña mágica*; luego noté el génesis de un extraño dolor de cabeza, seguramente provocado por un cambio repentino en el barómetro. Me dirigía a la recepción en busca de una aspirina cuando me di cuenta de que en realidad mi habitación no estaba en la misma planta que la entrada del motel, sino en una inferior, de ahí que quedase tan cerca de donde empezaba la playa. Se me había olvidado, así que me sentí confundida mientras recorría todo el pasillo de iluminación tenue. Incapaz de localizar la escalera que conducía a la recepción, desistí de tomarme la aspirina y decidí regresar. Al buscar la llave en el bolsillo, me topé con un apretado rollo de gasa casi del grosor de un Gauloises. Desenrollé un tercio, con la leve esperanza de encontrar un mensaje, pero no había nada. No tenía la menor idea de cómo había llegado a mi bolsillo, pero volví a enrollar la gasa, me la guardé y entré de nuevo en la habitación. Encendí la radio; en ese momento, Nina Simone cantaba «I Put a Spell on You». Las focas estaban calladas y oía las olas a lo lejos; invierno en la Costa Oeste. Me hundí en la cama y dormí como un tronco.

Al principio estaba segura de no haber soñado nada en el Dream Motel, pero cuanto más lo pensaba, más me convencía de que sí había soñado. O, mejor dicho, me había deslizado por el filo de un sueño. El atardecer se disfrazó de noche, para luego quitarse la máscara convertido en amanecer e iluminar un camino que seguí de buen grado, desde el desierto hasta el mar. Las gaviotas chillaban y graznaban mientras las focas dormían, salvo su rey, más parecido a una morsa, que levantó la cabeza y bramó hacia el sol. Daba la sensación de que todos habían desaparecido, una desaparición inquietante, al estilo de J. G. Ballard.

La playa estaba sucísima, plagada de envoltorios de chocolatinas; cientos, quizá miles, desperdigados por ella como las plumas tras la época de muda. Me puse de cuclillas para observarlos mejor y me metí un puñado en el bolsillo. Butterfingers, Peanut Chews, 3 Musketeers, Milky Ways y Baby Ruths. Todos abiertos, pero sin rastro de chocolate. No había nadie alrededor, ni huellas en la orilla, solo un radiocasete portátil medio oculto en un montículo de arena. Me había olvidado la llave del hotel, pero la puerta corredera no estaba cerrada. Cuando regresé a mi habitación, vi que yo seguía dormida, así que esperé, con la ventana abierta, hasta que me desperté.

Mi segundo «yo» continuó soñando, incluso bajo mi atenta mirada. Mi vista se topó con una valla publicitaria descolorida que anunciaba que el fenómeno de los envoltorios de chocolatinas se había extendido hasta San Diego y había cubierto una cala que yo conocía muy bien, adyacente al muelle de pescadores de Ocean Beach. Seguí un sendero que discurría entre marismas interminables moteadas de edificios abandonados de muchos pisos con ángulos cambiantes. Malas hierbas altas y esbeltas crecían de las grietas del cemento, con ramas como brazos pálidos que surgían de estructuras muertas. Cuando por fin accedí a la playa, la luna estaba alta y marcaba la silueta del viejo muelle. Había llegado tarde, habían rastrillado todos los restos de los envoltorios y los habían acumulado en montículos, a los que luego habían prendido fuego, creando una larga línea de hogueras tóxicas que, a pesar de todo, se veían preciosas; los envoltorios en llamas se rizaban como hojas otoñales artificiales.

La periferia del sueño, ¡qué periferia tan envolvente! Bien mirado, se parecía más a una aparición, la premonición de lo que está a punto de suceder, como una enorme nube de mosquitos, nubes negras que oscurecen el camino de los niños que pedalean en las bicis. Los límites de la realidad se reconfiguraban de tal modo que parecía necesario trazar el mapa de esa topografía hecha con retazos. Lo que hacía falta era un poco de pensamiento geométrico que lo ordenara todo. En el fondo del cajón inferior del escritorio encontré un par de tiritas, una postal descolorida, un carboncillo y una lámina de papel de calco, lo cual me pareció un golpe de suerte increíble. Pegué el papel de calco a la pared e intenté dar sentido a una huida imposible, pero solo logré componer un croquis fracturado que contenía toda la lógica improbable de un mapa del tesoro infantil.

—Usa la cabeza —me reprendió el espejo.

—Usa la mente —me aconsejó el cartel luminoso.

Tenía el bolsillo repleto de envoltorios de chocolatinas. Las extendí sobre el escritorio junto a la postal, la Exposición Panamá celebrada en San Diego en 1915. Eso me hizo plantearme ir a San Diego para comprobar en persona el estado de Ocean Beach.

En el curso de mi infructuoso análisis, me había entrado bastante hambre. Encontré un restaurante de menú con aire retro cerca de allí que se llamaba Lucy's y pedí un sándwich de queso fundido con pan de centeno, tarta de arándanos y café solo. En el cubículo de detrás había unos críos, no tendrían más de trece o catorce años. Hasta entonces no había prestado atención a lo que decían, sino que me había dejado adormecer por el sonido de sus voces, como si salieran de una jukebox puesta en la mesa, en la que se pudiera elegir una canción a cambio de una moneda. Los críos de la jukebox hablaban en voz baja, un murmullo que de forma gradual se convirtió en palabras distinguibles.

—No, son tres palabras que forman un nombre compuesto.

*Desaparición al estilo de J. G. Ballard.*

—Imposible, si son tres palabras diferentes, no pueden formar un compuesto. Son dos nombres sueltos con una preposición en medio. Son dos cosas distintas, pero relacionadas.

—Pero entonces es lo mismo.

—No, has dicho que formaban un compuesto. Y no es una palabra compuesta. Son palabras separadas.

—Sois tontos de remate —dijo una voz nueva. Silencio repentino. Debía de ser el líder, porque todos se callaron y lo escucharon—. Es una sola cosa, un único objeto. Un sustantivo complementa al otro mediante la preposición. Todo junto, «envoltorio de chocolatina», forma un sintagma nominal.

Eso captó mi atención. Era imposible que se tratase de una coincidencia. El murmullo ascendía como el vapor de un bloque de hielo seco. Recogí la cuenta de mi mesa y me detuve como por casualidad delante de ellos. Cuatro empollones con pinta tan *cool* que resultaba agresiva.

—Oye, ¿sabéis algo sobre esto? —pregunté mientras alisaba un envoltorio.

—Han escrito mal «Chews». Lo han puesto con zeta final.

—¿Y sabéis de dónde puede haber salido?

—Supongo que será una falsificación china.

—Bueno, si os enteráis de algo, avisadme.

Mientras me observaban con aire cada vez más divertido, recogí el envoltorio de los Peanut Chews de imitación. No sé cómo no me había fijado en la zeta errante. La empleada de la caja estaba abriendo un rollo de monedas de un cuarto de dólar. Caí en la cuenta de que no había dejado propina y regresé a mi mesa.

—Por cierto —dije después de pararme junto a los adolescentes—, os confirmo que «envoltorio de chocolatina» es un sintagma nominal. Y lleva un complemento preposicional.

Se levantaron y pasaron por delante de mí casi rozándome y sin dejar propina. Me fijé en que todos y cada uno de ellos llevaban una mochila con una raya amarilla vertical. El último me miró antes de salir. Tenía el pelo moreno y ondulado, y el ojo derecho ligeramente estrábico, casi como yo.

El teléfono se puso a vibrar. Era Lenny, que me llamaba para contarme las novedades acerca de Sandy, que en el fondo no eran ninguna novedad. Silencio estable que requería paciencia y oración. Deambulé hasta llegar a una tienda de segunda mano y me compré de forma impulsiva una vieja camiseta teñida con nudos de Grateful Dead, en la que salía la cara de Jerry Garcia. Al fondo había dos estanterías pequeñas con una colección de *National Geographic*, libros de Stephen King, videojuegos y CD muy variados. Encontré un par de números atrasados de la *Biblical Archaeology Review* y un ejemplar de bolsillo muy gastado de la novela *Aurélia*, de Gérard de Nerval. Todo era barato salvo la camiseta de Jerry, pero su cara sonriente y rezumante de amor químico valía lo que costaba.

De vuelta en mi habitación, me sorprendí al ver que alguien había despegado el croquis de la pared y lo había enrollado. Dejé la camiseta de Jerry sobre la almohada, me desplomé en el sillón y abrí *Aurélia*, pero apenas conseguí pasar de la primera frase, tan iluminadora: «Nuestros sueños son una segunda vida». Dormité unos minutos y entré en un sueño revolucionario, a la francesa, es decir, con jóvenes ataviados con camisas que ondeaban al viento y pantalones bombachos de piel. El cabecilla está atado con tiras de cuero a un pesado portón. Un partidario suyo se le acerca con una antorcha y la sujeta con firmeza mientras la llama quema las gruesas ataduras. El líder queda libre, aunque con las muñecas ennegrecidas y llenas de ampollas. Llama a su caballo y luego me cuenta que ha formado un grupo de música llamado Sustantivo Glitter.

—¿Por qué «Glitter»? —le pregunto—. «Sparkle» es más sonoro.

—Ya, pero la banda Sparklehorse ya utilizó «Sparkle», y ambos nombres significan lo mismo.

—¿Y por qué no lo llamas «Sustantivo» sin más?

—Sustantivo. Me gusta —contesta el líder—. Sustantivo se queda.

Se monta en su appaloosa moteado y hace un mohín cuando las riendas le caen sobre la muñeca.

—Cuídate las heridas —le digo.

Tiene el pelo moreno y ondulado, y también es bizco. Asiente con la cabeza y se marcha cabalgando con su grupo hacia la lejana pampa. Se detienen a tomar agua de un arroyo agitado en el que los mismos envoltorios con una falta de ortografía giran en la corriente como si fueran pececillos multicolores.

Me desperté de sopetón y miré la hora, el reloj apenas había avanzado. Distraída, cogí una de las revistas de arqueología bíblica. Siempre me ha gustado leerlas, son como retoños de historias de detectives, siempre a punto de descubrir un fragmento en arameo o de encontrar los restos del arca de Noé. La portada era bastante incitante. «¡Muerto en el mar Muerto! ¿Empalaron al rey Saúl en el muro de Beit She'an?» Hurgué en mi memoria hasta hallar el resonante mantra de las mujeres, que celebraban el regreso de sus hombres después de la batalla. «Saúl ha matado a miles y David, a decenas de miles.» Abrí el cajón para ver si encontraba la típica Biblia de Gideon en inglés, pero la que tenían estaba en español, y entonces recordé que Saúl, tras ser herido por una flecha enemiga, se arrojó a propósito sobre su espada para ahorrarse la humillación de ser ridiculizado y torturado por los filisteos.

Repasé la habitación con la mirada en busca de otro entretenimiento, luego agarré la manta y salí de nuevo al patio, donde dediqué varios minutos a examinar el envoltorio de Peanut Chewz, pero no averigüé nada. Tuve el claro presentimiento de que algo iba a suceder. Temía que fuese un acontecimiento desgarrador, algo inesperado o, peor, una profunda decepción. Me estremecí al pensar en Sandy.

Las horas se deslizaron una tras otra. Salí a dar un paseo, rodeé la mitad del hotel y pasé por delante de la placa en honor de Jack O'Neill, el famoso surfero que inventó un tipo nuevo de neopreno. Intenté imaginarme a los surferos de las pelis antiguas como *Gidget*. ¿Acaso Troy Donahue llevaba traje de neopreno? ¿Y Moondoggie? ¿De verdad surfeaban las olas? A conciencia, evité levantar la vista hacia el cartel luminoso del Dream Motel, pero entonces el viento se despertó de repente, las palmeras se doblaron y agitaron, y me vi asaltada por cierta arrogancia.

—¿Qué? Soñando, ¿verdad?

—No, qué va, en absoluto —insistí—. Nada de sueños. Ni uno. Todo sigue igual que antes, no ha ocurrido nada de nada.

El cartel luminoso cobró vida y se animó muchísimo: me lanzaba indirectas, me hacía preguntas, intentaba confundir mi mente con números de teléfono obsoletos y exigía saber la secuencia de ciertos álbumes, por ejemplo, qué canción iba antes de «White Rabbit» o cuál salía entre «Queen Jane Approximately» y «Just Like Tom Thumb's Blues». Por cierto, ¿cuál era? Ah, sí, «Ballad of a Thin Man». No, no era esa, qué despiste, pero al pensar en esa canción me vino a la cabeza el estribillo: «Something is happening, but you don't know what it is». Seguro que era otra de sus provocaciones. No sé cómo, pero aquel maldito cartel luminoso estaba al tanto de todo, de mis idas y venidas, de lo que llevaba en los bolsillos, incluidos los envoltorios, mi dólar de plata de 1922 y un fragmento de la piel roja de Ayers

*Ayers Rock, monte Uluru*

Rock, que yo todavía no había encontrado en un sendero del monte Uluru que aún no había recorrido.

—¿Cuándo te vas? Es un vuelo muy largo, ya lo sabes.

—¿Adónde quieres que vaya? Yo no me muevo de aquí —dije a regañadientes, intentando ocultar los pensamientos sobre mi futuro viaje, pero el gran monolito se empeñaba con tozudez en asomar la cabeza, emergía en mi mar mental como un submarino borracho.

—¡Sí que vas a ir! ¡Lo veo! Está escrito en la pared. Polvo rojo por todas partes. Solo hace falta saber leer las señales.

—¿Cómo es posible que lo sepas? —exigí saber, a punto de perder los nervios.

—Sentido poco común —respondió el cartel luminoso—. ¡Y por favor! ¡Uluru! ¡Si es la capital mundial de los sueños! ¡Por supuesto que vas a ir allí!

En ese momento pasó una pareja de tortolitos, y sin más, el cartel luminoso volvió a ser simplemente un cartel, mudo e inatacable. Me quedé plantada ante él valorando la situación. El problema de soñar, pensé, es que uno puede verse inmerso en un misterio que en realidad no es un misterio, lo cual ocasiona observaciones absurdas y un discurso que lleva a una conclusión no basada en una única realidad. Todo el asunto me recordaba demasiado a la laberíntica conversación entre Alicia y el Sombrerero Loco.

Por otra parte, el cartel luminoso había averiguado mi deseo, tan real, de viajar al centro de la tierra salvaje de Australia para ver la Ayers Rock. Sam Shepard hablaba mucho de su excursión en solitario al monte Uluru y repetía que algún día podríamos ir juntos, haciendo paradas en los pueblos de frontera, cruzando en coche el interior del país y resiguiendo los bordes de las llanuras salpicadas de *spinifex*. Pero Sam había recibido el mazazo de la ELA, y mientras sus retos físicos aumentaban, todos los planes tejidos con puntos sueltos se iban deshaciendo. Me pregunté si el destino, transformado en la voz del cartel, estaría planteándome la posibilidad de ver por mi cuenta el imponente monolito rojo; si lo hiciera, sin duda llevaría conmigo una parte de Sam, protegida en un rincón inexplorado de mi ser.

Llegó el momento de buscar algo de comer. Dejé atrás el concurrido muelle y caminé sin rumbo por unas callejuelas, hasta parar delante de Las Palmas Taco Bar. Sin saber cómo, pese a que nunca había estado allí, el local me resultó familiar. Me senté al fondo y pedí alubias pintas y tacos de pescado. El café tenía un regusto a chocolate azteca. A Sandy le habría encantado. ¿Sería esa su taquería secreta? Parecía que algo estuviera influyendo en mis movimientos, mal llamados improvisados. Me tomé otra taza, degustándola poco a poco, y empecé a sentir un afecto irracional hacia el perímetro del Dream Motel. Será mejor que me largue de aquí, pensé, no vaya a terminar como el soldado de *La montaña mágica*, que sube una colina de la que ya nunca baja. Cerré los ojos y visualicé mi habitación, vi la puerta corredera que se abría hacia el rugido de las olas ocultadas por el murete, apenas una pared de cemento, quizá encalada, a menos que el cemento pueda ser blanco de por sí.

—Por el amor de dios, puede ser de cualquier color. Pigmentos. Pigmentos.

¿Acaso aquel maldito cartel me había seguido hasta Front Street?

—¿Has dicho pimientos? —susurré—. Qué sugerencia gastronómica tan curiosa para estar junto al mar. Podrías proponerme el especial del día con caballa y un poco de la maldita ensalada de col que le ponen a todo, un plato que nunca he probado.

—La ensalada de col no es un plato, es una guarnición. Y he dicho PIGMENTO, no pimiento.

Me negaba a seguir aguantando sus lecciones, así que apuré el café de un sorbo, pagué la cuenta y salí a toda prisa. Tenía un par de cosas que decirle a la cara a aquel dichoso cartel luminoso.

—Estás mosqueado, ¿eh? —le dije, tomando la delantera.

El cartel resopló.

—Y además, te veo bastante pálido. No te iría mal un poco de pigmento, no sé, quizá un toque de azul cerúleo para alegrar esa estrella tan lastimera.

—¡Eh! ¡Pues sé algunas curiosidades sobre los pigmentos, para tu información! —chilló el cartel—. Por ejemplo, el color secreto del agua y dónde puede encontrarse su pigmento, varios niveles bajo tierra, donde no hay ni rastro de agua.

Saltaba a la vista que le había tocado la fibra, porque de pronto me vi propulsada y envuelta en remolinos de viento traslúcido. Algo tronó bajo mis pies y se abrió un abismo. Caí de rodillas y observé un laberinto de agujeros que albergaban montículos de piedras preciosas, bagatelas doradas y rollos de pergamino. Era el asombroso mundo subterráneo que había imaginado de niña, con sus elfos y sus gnomos, y la cueva de Alí Babá. Me embargó la felicidad al comprobar que tales cosas existían. Una felicidad seguida al instante por el remordimiento. Una nube obstinada se movió y dejó ver el sol un instante, y el ambiente fresco se iluminó y luego todo volvió a ser como era. Me quedé delante de mi digno oponente, esperando mi castigo.

—Hay muchas verdades y hay muchos mundos —anunció el cartel con solemnidad.

—Sí —contesté. Me sentí humillada—. Y tenías razón. Sí que soñé, tuve numerosos sueños; en realidad, fueron mucho más que sueños, como si nacieran del alba de la mente. Sí, soñé, es innegable.

El cartel luminoso se quedó totalmente callado. Las palmeras dejaron de zarandearse y un agradable silencio envolvió la colina.

Mientras estaba sentada debajo de las letras de tamaño gigante en las que se leía CAFÉ conocí a una pareja que se dirigía a San Diego. Lo tomé como un buen augurio. Era un trayecto de ocho horas, y podía unirme al viaje por ochenta y cinco dólares. Acordamos encontrarnos por la mañana. La única norma era que no se podía hablar. Acepté a toda prisa, sin pensar mucho qué podía implicar eso.

Aquella noche, pese al frío, recorrí todo el embarcadero de Santa Cruz, el muelle de madera más largo de Estados Unidos, de ochocientos metros de longitud. En tiempos se usaba para fletar patatas desde San Francisco hasta las explotaciones mineras de las montañas de Sierra Nevada durante la fiebre del oro. Aunque suele estar muy animado, en aquel momento no había ni un alma, ni se oía un solo avión, ni se veía un solo navío, solo los gruñidos y resoplidos de los leones marinos dormidos.

Llamé a Lenny y le conté que tardaría un tiempo en regresar. Hablamos de Sandy con cargo de conciencia. Todos éramos amigos desde hacía una eternidad. Nos habíamos conocido en 1971, después de mi primera lectura poética, en la que Lenny me acompañó con la guitarra eléctrica. Sandy Pearlman estaba sentado con las piernas cruzadas en el suelo de la iglesia de St. Mark, vestido de cuero, al estilo de Jim Morrison. Yo había leído sus *Excerpts from the History of Los Angeles*, uno de los mejores libros que se han escrito sobre el rock. Después de la actuación, me recomendó que montara una banda de rock, pero me eché a reír y le dije que ya tenía un buen trabajo en una librería. Entonces continuó insistiendo y sacó a colación al Can Cerbero, el perro del Hades, y me sugirió que indagara en su historia.

—No es solo la historia de un perro, sino la historia de una idea —dijo, con un destello en los dientes extremadamente blancos.

Me pareció un tipo arrogante, aunque con una arrogancia atractiva, y su recomendación de formar una banda de rock, si bien resultaba improbable, era a la vez intrigante. En aquella época, yo salía con Sam Shepard, y le conté lo que había dicho Sandy. Sam se limitó a mirarme con atención y me dijo que podía hacer cualquier cosa que me propusiera. Entonces todos éramos jóvenes y esa era la actitud general. Que podíamos hacer lo que se nos antojara.

Ahora Sandy estaba inconsciente en la UCI, en el condado de Marin. Sam lidiaba con las fases crecientes de su aflicción. Y yo sentía una fuerza de atracción cósmica en múltiples direcciones y me preguntaba si algún campo energético idiosincrático protegía algún otro tipo de campo, uno con un vergel en el centro, rebosante de una fruta que contenía un corazón insondable.

Por la mañana, me encontré con la pareja ya en la calle. Eran muy antipáticos. Tuve que beberme de un trago el café en la acera para no derramar nada dentro, luego pagarles por adelantado antes de que me dejaran subir al coche, que estaba bastante hecho polvo. El suelo estaba abarrotado de envases de repelente antimosquitos y tupperwares mohosos, y los asientos de cuero parecían haber sido descuartizados por un cuchillo de sierra. Se me pasaron por la cabeza diversas escenas criminales, pero tenían un gusto musical fabuloso, pusieron melodías que no escuchaba desde hacía décadas. Después de la sexta canción, «Butterfly» de Charlie Gracie, no pude contenerme más.

—Menuda lista de reproducción. Es genial —solté.

Para mi sorpresa, al instante frenaron en la cuneta. El tipo salió del coche y me abrió la puerta. Luego me hizo un gesto con la cabeza.

—Dijimos que ni una palabra. Es una norma inquebrantable.

—Por favor, dadme otra oportunidad —pedí.

A regañadientes, el tío encendió el motor y retomamos la ruta. Quería preguntarles si tararear las letras o suspirar cuando ponían una canción especialmente buena contaba o no, aunque lo cierto era que, de momento, todas habían sido geniales, desde las sumamente bailables hasta las místicamente oscuras. «Oh Donna», «Summertime», «Greetings (This Is Uncle Sam)», «My Hero», «Endless Sleep». Me preguntaba si la pareja sería de Filadelfia, la ciudad de los clásicos, porque era esa clase de música. Permanecí sentada en obediente silencio, cantando para mis adentros, y me vi transportada a mis bailes adolescentes con un chico que se llamaba Butchy Magic, un italiano rubio del sur de Filadelfia que apenas hablaba, pero que siempre llevaba una navaja automática, y que cruzaba el paisaje de los deberes para perderse en sueños y habitar en el aposento silencioso de un corazón joven no correspondido.

Cuando paramos a poner gasolina, cogí la mochila y fui al lavabo, me lavé la cara y los dientes, pedí un café para llevar y regresé en perfecto silencio justo a tiempo de ver cómo se largaban a toda velocidad y se perdían en el horizonte de las canciones olvidadas del rhythm-and-blues. ¿Qué demonios...? ¡Peor para ellos! «¡My Hero!», chillé. ¡Esa estuvo genial! ¿Quién toca «Endless Sleep» o «Greetings (This Is Uncle Sam)»? Me quedé allí plantada enumerando a voz en grito un inventario de todas las canciones fabulosas que había saboreado en silencio.

Se me acercó un guardia de seguridad.

—¿Va todo bien, señora?

—Eh..., sí, disculpe. Me he quedado sin transporte a San Diego.

—Mmm... Mi nuera va en coche a San Diego. Seguro que, si comparten los gastos de la gasolina, no le importa llevarla.

Se llamaba Cammy y tenía un Lexus. Me senté en el asiento del copiloto. El de detrás estaba cargado de cajas en las que ponía ENCURTIDOS y unas cuantas en las que ponía AVON.

—Todo el maletero está lleno de frascos de conservas —me dijo—. Son para una amiga. Tiene un restaurante ecológico. Le hago los encurtidos de todos los productos. Cebollas, tomates, pepinos, mazorcas baby. Los vende en el restaurante. Y a cambio puedo pedir lo que se me antoje en un sitio especializado en perritos calientes gourmet.

Cammy conducía rápido, pero no me importaba. También hablaba rápido y cambiaba de emisora mientras parloteaba, para entablar de pronto otra conversación con la voz incorpórea del locutor. Llevaba puestos unos auriculares diminutos y tenía otro móvil cargándose. Cammy no callaba ni un segundo. Me hacía una pregunta y luego la respondía desde su punto de vista. Apenas abrí la boca. Seguí en silencio, como en el otro coche, pero era un silencio distinto. Al final, le pregunté si sabía algo acerca de unos envoltorios de chocolatina que ensuciaban la playa que había junto al muelle de Ocean Beach.

—Eh, no es para tomarlo a broma —dijo—, es rarísimo, ocurrió lo mismo en Redondo Beach, pero bueno, no en la playa, en realidad fue en la parte trasera de la fábrica de gas. Cientos, quizá miles de envoltorios. Menuda locura, ¿no?

—Pues sí —comenté, aunque no me parecía una locura. Me parecía una estrategia.

—¿Y te has enterado de lo de los niños que han desaparecido?

—No.

Le sonó el teléfono y soltó sin preámbulo la información de un pedido, sin duda debía de estar relacionado con su imperio de encurtidos.

—El mundo entero está perdiendo la chaveta —continuó—. La primavera pasada estaba en Queens y las azaleas de mi hermana florecieron con varias semanas de antelación. Luego, sin más ni más, hubo una helada y murieron todas las flores. A ver, puedes cubrir las plantas con arpillera si te avisan del frío, pero sucedió de la noche a la mañana. Todas las flores muertas... Mi hermana estaba afligida. ¿Y las ardillas de Central Park? ¿Te has enterado? Hizo tanto calor que salieron de la hibernación, totalmente confundidas, y luego va y nieva en abril, nada menos que en Semana Santa. ¡Nieve en Semana Santa! Diez días después, los tipos que recogen la basura con esos pinchos largos se las encontraron. Montones de ardillas, crías con sus madres, congeladas. Es una locura, te lo aseguro. El mundo entero está perdiendo la chaveta.

Cammy me dejó en Newport Avenue, junto al muelle de Ocean Beach, le di un billete de cincuenta y ella me guiñó un ojo y arrancó. Me registré en el antiguo hotel San Vicente, que no había cambiado mucho con el paso de las décadas, salvo en el nombre. Me alegré de verme de nuevo en la misma habitación de siempre, en la segunda planta. En algún momento de mi vida había fantaseado con vivir en aquella habitación de hotel, envuelta en la oscuridad, y dedicarme a escribir historias de detectives. Abrí la ventana y miré el largo muelle pesquero con su café solitario, una estampa que me provocó el dolor de una nostalgia bien recibida. Soplaba la brisa y el rumor de las olas parecía amplificar la llamada de otro sitio, más surrealista que real.

Aclaré la ropa sucia en el lavabo y la colgué para que se secara en la ducha, luego cogí la cazadora y el pasamontañas y me di una vuelta rápida por la playa. Mientras curioseaba por ahí, me acordé de que Cammy no había terminado de contarme lo de los niños desaparecidos. En cualquier caso, no había indicios de una invasión de envoltorios, no más allá de lo habitual. Recorrí todo el muelle hasta el WOW Café. A lo lejos, divisé un pelícano apostado encima de la pared que daba al mar, en la que estaba escrito CAFÉ con inmensas letras azules. Otra estampa con la que sentí el bienestar de lo familiar. Quienes preparan el café en ese local están en contacto con Dios. Su café no alardea de ser de ninguna parte, no son granos de Kona, Costa Rica ni los campos de Arabia. Es café, y punto.

El WOW se encontraba mucho más lleno de lo que esperaba, así que me senté en una esquina de una mesa grande compartida, dominada por dos tipos que se presentaron como Jesús y Ernest, junto con una rubia de anuncio que permaneció en el anonimato. Jesús era de Santiago. No me enteré de dónde era Ernest, tal vez fuese mexicano, o tal vez ruso; sus ojos cambiaban continuamente, como un anillo del estado de ánimo, desde el gris más puro al color chocolate.

Sin querer, me sentí atraída por su conversación, que se centraba en una cadena de atroces crímenes recién ocurridos, pero después de reconocer unos cuantos marcadores clave, me

*WOW Café, muelle de Ocean Beach*

di cuenta de que en realidad debatían acerca de si los asesinatos de Sonoma, en «La parte de los crímenes», una de las secciones de la obra maestra de Roberto Bolaño, *2666*, eran reales o ficticios. En una pausa, todos me miraron con expectación; al fin y al cabo, yo llevaba varios minutos escuchando su conversación sin decir nada. Como había leído y releído el libro, dije que lo más probable era que los asesinatos fuesen reales y que las chicas que describía fuesen símbolos de las chicas reales, aunque no necesariamente tenían que ser las chicas auténticas. Mencioné que me habían contado que Bolaño había tenido acceso a un dosier que contenía informes de asesinatos sin resolver de varias jóvenes de Sonoma a través de un detective de la policía ya jubilado.

—Sí, yo también lo había oído —dijo Ernest—, aunque nadie puede estar seguro de si la historia que circuló sobre el detective de la policía era verídica o si se la inventaron para dar verosimilitud a un informe policial imaginario.

—Quizá fueran descripciones exactas del informe policial pero cambiara los nombres —dijo Jesús.

—Bueno, de acuerdo, pues supongamos que eran reales. Entonces, cuando Bolaño las insertó dentro de una obra de ficción, ¿se convirtieron en ficción? —preguntó Ernest, y me escudriñó con unos ojos retadores.

Yo tenía una posible respuesta a eso, pero no dije nada. Me estaba preguntando qué les sucede a los personajes de los libros cuyos destinos quedan en el aire porque el escritor muere. La discusión fue apagándose, así que pedí sopa de pescado y galletas saladas. En el reverso de la carta estaba la historia de la cafetería. WOW eran las siglas en inglés de «Walking On Water», caminar sobre las aguas. Pensé en los milagros, en Sandy inconsciente. ¿Por qué me había marchado? Me había planteado quedarme cerca del hospital, velarlo, suplicar un milagro, pero no lo hice, porque sentía pavor por los pasillos engañosamente antisépticos y las zonas bacterianas invisibles, que despiertan un instinto de supervivencia y el irreprimible deseo de huir.

Jesús y Ernest habían retomado el ritmo y hablaban a la vez, de vez en cuando se pasaban al español, y me perdí en el momento en que la discusión saltó al segmento inicial de *2666*, «La parte de los críticos». En concreto, se habían concentrado en los sueños de los críticos. Uno de una piscina infinita y siniestra y el otro de un cuerpo de agua viva.

—El autor debe conocer a los personajes tan bien que tiene acceso al contenido de sus sueños —decía entonces Ernest.

—¿Quién crea los sueños? —preguntó Jesús.

—Bueno, el escritor, ¿quién si no?

—Pero ¿acaso el escritor crea los sueños de los personajes o es el canal de los sueños reales de sus personajes?

—Es una cuestión de transparencia —contestó Ernest—. Ve a través de sus cráneos mientras duermen. Como si fuesen de cristal.

La rubia dejó de pinchar la ensalada de col con el tenedor y sacó un paquete de cigarrillos del bolso. Parecían extranjeros, un paquete blanco con las palabras PHILIP MORRIS estampadas en rojo. Dejó la cajetilla en la mesa, junto a un teléfono de tapa.

—Todavía resulta más impresionante la forma tan poco ortodoxa que tiene de intercalar líneas en blanco —dijo, e inhaló una gran calada—. «El agua estaba viva», escribe Bolaño, y luego coloca una línea en blanco. El lector se ve abandonado en medio de una piscina larga, oscura e infinita, y ni siquiera tiene una línea de flotación.

Todos la miramos maravillados. De pronto, parecía que nos llevara años luz de ventaja. Se me quitó el hambre. ¿A quién se le ocurriría mencionar un espacio en blanco entre dos escenas y zanjar así una conversación?

Era un buen momento para salir a tomar el aire. Caminé hasta el extremo del embarcadero, mientras me imaginaba a Sandy con su gorra de béisbol aparcando en un hueco su furgoneta blanca, la que recordaba a un coleccionista compulsivo intelectual, rebosante de libros, carpetas, partes de amplificador y ordenadores obsoletos. Cuando Sandy era joven tenía un coche deportivo con el que cruzaba Central Park para pararse al llegar al Papaya King o para seguir hasta la cumbre de Manhattan. En algún momento de la vida, cambió el deportivo por su furgoneta blanca y, en los años noventa, después de un concierto en Portland, fuimos en ella hasta Ashland para ver una versión moderna de *Coriolano* en el Oregon Shakespeare Festival. A Sandy le encantaba Shakespeare, sobre todo *El sueño de una noche de verano*. El concepto de transformar a los hombres en burros lo fascinaba. Le conté que en *Pinocho* Carlo Collodi convertía a traición a los niños traviesos en burros. Pero el Bardo lo hizo primero, me soltó con aire triunfal.

Durante algún tiempo, nos dedicamos a fantasear con una ópera basada en Medea. No sería una ópera tradicional de las que requieren cantantes con una vida entera de ensayos, pero aun así sería una ópera. Sandy quería que yo hiciera de Medea. Le dije que ya era vieja para interpretar ese papel, pero él repuso que lo único que le hacía falta a Medea era ser formidable, y que yo era más que capaz de aguantar el resplandor de su espejo roto.

—Esquirlas de amor, Patti —solía decirme—. Esquirlas de amor.

Charlábamos sin cesar sobre temas semejantes bien entrada la noche, mientras buscábamos un sitio en el que pudieran ofrecernos una porción de tarta de queso. Nuestra *Medea*. Me pregunté si en algún momento llegaríamos a escribirla. Aunque creo que, en cierto modo, ya lo habíamos hecho, en aquella furgoneta, bajo las estrellas cambiantes que nos observaban desde arriba.

Al regresar a la mesa, todo seguía igual salvo la conversación, que de algún modo había virado hacia las carreras de perros. La rubia tenía un exnovio que era dueño de nada menos que tres campeones en San Petersburgo.

—¿En Rusia hacen carreras de perros?

—No, en Florida, por el amor de dios.

—Deberíamos ir. Se puede ir en autobús desde Burbank hasta Tampa.

—Sí, claro, cambiando por lo menos tres veces de línea. Además, creo que van a cerrarlo todo, o eso he oído. Y es una mala noticia para los perros, jaurías de perros altamente cualificados que se quedarán sin trabajo.

—Bah, para los perros de carreras no existe el desempleo.

—Los matarán a todos.

La joven se apretó un pañuelo de papel encima de los párpados para soltar el pegamento de sus pestañas increíblemente largas.

—Podrías matar a alguien con esas pestañas.

La rubia se incorporó de repente. Tenía personalidad, desde luego, y era interesante: una chica lista con las curvas de Jayne Mansfield.

Jesús y la rubia se marcharon. Ernest se metió en el bolsillo la bola hecha con el pañuelo de papel en el que ella había dejado las pestañas postizas. Parecía que se le hubiera ocurrido algo. Se quedó sentado unos minutos, haciendo girar una moneda, y luego, sin más, recogió y se marchó. Tuve el extraño presentimiento de que Ernest no me era desconocido del todo, pero fui incapaz de ubicarlo. Seguí inmersa en pensamientos que no me llevaron a ninguna parte hasta el mismo atardecer. La hora de cerrar, porque el WOW nunca había sido un local nocturno.

Los rayos de luz matutina se colaban por la fina colcha. Por un instante, pensé que estaba otra vez en el Dream Motel. Tenía hambre y bajé la escalera a toda prisa, pasé por delante de unos chavales que jugaban a la pelota en la playa y recorrí el muelle a paso ligero hasta regresar al WOW. Tomé huevos fritos con alubias y saboreé el segundo café del día mientras me zambullía en una historia de misterio de Martin Beck, *Asesinato en el Savoy*. Ernest entró tan silencioso como una víbora y se colocó enfrente de mí.

—*El policía que ríe* es mejor —me dijo.

—Sí —contesté, sorprendida de verlo—, pero ya lo he leído dos veces.

Nos sentamos a charlar un rato. No pude evitar maravillarme ante la mutua facilidad para pasar de un oscuro tema a otro, desde los escritores de *thriller* suecos hasta un clima extremo.

—¿Qué opinas de esto?

Un recorte de periódico amarillento de 2006. «El huracán *Ernesto* levanta a los muertos.» Una foto de un campo pequeño con tumbas arrancadas.

—¿Fue en Virginia?

—Ocurrió en una isla de la costa de Virginia. Se llama igual que yo.

—¿La isla?

—No. El huracán.

Dobló con sumo cuidado el recorte y lo guardó delicadamente en una cartera de piel de serpiente muy gastada, de la que cayó una fotografía en blanco y negro. Vi de refilón a una mujer con un vestido oscuro floreado y un niño pequeño. Quería preguntarle por la foto, pero de pronto me pareció que estaba incómodo. En lugar de eso, le conté el sueño que había tenido en Santa Cruz, lo de los envoltorios de imitación, las hogueras al crepúsculo y la sensación creciente de una extraña calma química.

—Algunos sueños no son sueños, sino otro ángulo de la realidad física.

—¿Cómo debería interpretar eso? —le pregunté.

—Lo que pasa con los sueños —me aclaró Ernest— es que las ecuaciones se resuelven de un modo enteramente único, la colada se queda tiesa al viento y nuestra madre muerta aparece de espaldas.

Me quedé mirándolo, sin poder quitarme de la cabeza la duda de a quién me recordaba.

—Oye —continuó en voz baja—, las hogueras todavía no han ardido. Las verás más tarde, en la playa, a la hora del crepúsculo.

El cielo estaba encapotado, pero en él refulgía un extraño brillo ilógico. Intenté calcular el momento exacto del crepúsculo. Lo más fácil habría sido mirarlo en el móvil, si no se hubiera muerto. Antes de emprender el camino de regreso, me quité las botas y caminé descalza por el agua helada. Como no sé nadar, no puedo pasar de ahí. Pensé en Sandy. Pensé en Sam. Pensé en Roberto Bolaño, de solo cincuenta años, agonizando en un hospital en lugar de en una cueva de una costa escarpada, o en un apartamento de Berlín, o en su propia cama.

Impaciente por que llegara la hora que había indicado Ernest, me quedé cerca de la playa. Dediqué la tarde entera a escribir en la pequeña mesa plegable blanca junto al mirador del hotel. Había una foto de mi hija entre las páginas del cuaderno.

Sonreía, pero estaba al borde de las lágrimas. Escribí sobre los carteles, sobre los desconocidos, pero no escribí nada relacionado con mis hijos, aunque siempre los tuviera presentes. El sol estaba en el cénit. Sentí que me rendía, atraída por su abstracta inactividad.

Me desperté con un sobresalto. No podía creer que me hubiera quedado dormida otra vez, y nada menos que sobre la mesa plegable del patio. En un impulso, saqué la tabla de planchar, una tabla portátil con una funda amarilla impermeabilizada, desenrollé los bajos de los pantalones húmedos, sacudí la arena y los planché hasta que quedaron secos, luego bajé los escalones de la terraza como un rayo y crucé hasta llegar a la playa. Ya había anochecido, pero supuse que Ernest seguiría allí. Aunque tal vez hubiera dormido más tiempo del que yo creía, porque parecía que me había perdido la acción, no había nadie a la vista, solo una larga hilera de pequeñas hogueras llameantes. Por un momento me entraron náuseas, como si hubiera inhalado el humo de los muertos.

Dos guardias de seguridad aparecieron de pronto y me acusaron de haber encendido hogueras de manera ilegal. Me encontré balbuceando, incapaz de responder a sus preguntas. Por algún motivo, no recordaba qué hacía allí, no ya en el escenario de las hogueras, sino en aquel paraje en sí. Me fui abriendo paso entre la niebla. Sandy estaba en el hospital. Nos dirigíamos al Dream Motel para escribir un fragmento de nuestra *Medea*, la parte en la que entra en trance y viaja al futuro, vestida con un caftán negro con tiras de cuentas de ámbar gigantes esculpidas como si fueran cabezas de pájaros sagrados.

—Es una ópera —les expliqué a los agentes—. Medea se quita las sandalias y camina entre las ascuas encendidas de las hogueras, una tras otra, sin rastro de emoción.

*Podría vivir allí una temporada.*

Ellos parecían tan perplejos como yo. Sé que estaba haciendo el ridículo, pero no fui capaz de articular una justificación más convincente. Me llamaron la atención y me sermonearon con el protocolo de la playa, las normas y las multas. Regresé a toda prisa a mi habitación, con mucho cuidado de no mirar atrás. Era Ernest quien me había hablado de las hogueras, de una reunión al atardecer. Yo lo sabía. ¿Por qué no lo confesé? Empecé a pensar que él había ideado algún tipo de detonante verbal que cerraba temporalmente un portal. Me refiero al portal hacia él. Un mecanismo muy ingenioso, pensé, pero también bastante peligroso si se utilizaba mal. Traté de averiguar cuál sería ese mal uso, pero todo era demasiado rocambolesco. Estás soñando, me dije mientras contemplaba el largo muelle cuya silueta se recortaba a la luz de la luna. En ese mismo momento, me vino un fogonazo del cartel que había en lo alto de la colina, cubierto por una red antimosquitos negra.

Amanecer. Primera luz del día, con la luna todavía visible pero medio desvanecida. El resto de mi ropa ya se había secado, así que la doblé, luego me senté junto a la ventana y terminé de leer *Asesinato en el Savoy*. Hacia el final, la viuda del poli asesinado en *El policía que ríe* se acuesta con el detective Martin Beck en un hotel de Estocolmo, algo que no me había imaginado. Al otro lado de la calle, las gaviotas competían por los restos de un bocadillo; no había ni rastro de hogueras en la playa.

De nuevo en el WOW, decidí quitarme de la cabeza todo el asunto de las hogueras y pedí un café y una tostada con canela. El local estaba bastante vacío y me sentí muy cómoda, como si fuese mío. Habría querido quedarme a vivir allí una temporada, en el propio WOW, en la trastienda, con un simple catre, una mesa en la que escribir, una nevera vieja y un ventilador en el techo. Por las mañanas me prepararía café en un cazo de latón, calentaría unas alubias y unos huevos y leería las noticias locales en el boletín. Me limitaría a navegar entre zonas. Sin reglas. Sin cambios. Pero, en realidad, al final todo cambia. Así funciona el mundo. Ciclos de muerte y resurrección, pero no siempre del modo como los imaginamos. Por ejemplo, podríamos resucitar todos con un aspecto distinto, ataviados con unas prendas con las que nunca nos habría pillado la muerte.

Levanté la vista del agujero en el que ardía eternamente y distinguí a Ernest hablando con Jesús, quien parecía sumamente agitado. Ernest apoyó la mano en el hombro de su amigo y Jesús se calmó, se santiguó y se marchó de forma abrupta. Ernest se sentó y me puso al día. Jesús y la rubia se dirigían a la estación de autobuses Greyhound, en el centro de Los Ángeles, para pasar dos días y diecinueve horas en bus hasta Miami y después alquilar un coche con el que ir hasta San Petersburgo.

—Jesús parecía desquiciado.

—Muriel lleva muchísimo equipaje.

La rubia tenía nombre.

—¿Le devolviste las pestañas? —le pregunté.

—Una gaviota bajó en picado y se las llevó. Lo más probable es que ahora formen parte de un nido.

Esquivé su mirada, porque no quería pillarlo mintiendo. Con el ojo de la mente, podía verlas con toda claridad y sin el menor esfuerzo, envueltas en el mismo pañuelo de papel encima de un viejo escritorio, bajo un cuadro de un faro engolfado en una niebla mal pintada. Me fijé en el libro que Ernest había dejado encima de la mesa: *El triángulo aritmético de Pascal.*

—¿Lo estás leyendo?

—Los libros como este no se leen, se absorben.

Me pareció de lo más lógico, y no me cupo duda de que él tenía pensada toda una retahíla de regresiones, aunque solo

*Terminal de autobuses Greyhound, Burbank*

fuera para desviarme del tema de las hogueras, pero entonces solté mi frase de forma impulsiva, simplemente para cambiar de tercio:

—¿Sabes que estuve en Blanes hace unos años?

Me miró con cara de póquer: saltaba a la vista que no intuía adónde quería ir a parar yo con ese comentario.

—¿Blanes?

—Sí. Es un pueblo costero de Cataluña que parece de los años sesenta, donde Bolaño vivió hasta su muerte. Allí escribió *2666*.

De pronto, Ernest se puso muy serio. Su amor por Roberto Bolaño era tan intenso que casi resultaba palpable.

—Cuesta imaginarse qué debió de sentir el escritor cuando se precipitaba hacia la última línea. Era un maestro de un arte que muy pocos pueden dominar, igual que Faulkner, Proust o Stephen King: me refiero a la capacidad de escribir y reflexionar simultáneamente. La «práctica cotidiana», como lo llamaba él.

—La práctica cotidiana —repetí.

—Lo plasmó en las primeras páginas de *El Tercer Reich*. ¿Lo has leído?

—Lo dejé a medias, hacía que me sintiera incómoda.

—¿Por qué? —me preguntó inclinándose hacia delante—. ¿Qué creías que iba a ocurrir?

—No lo sé, algo malo, algo surgido de un malentendido acerca de la pérdida de control, como en *El príncipe y el mendigo*.

—Parece que te diera miedo.

—Supongo que sí.

Echó un vistazo a mi cuaderno abierto.

—¿Lo que escribes evoca eso? ¿Esa incomodidad?

—No. Salvo quizá una incomodidad cómica.

—*El Tercer Reich*. Solo es el nombre de un juego de mesa. Estaba obsesionado con ellos. Un juego no es más que un juego.

—Sí, seguro que tienes razón. ¿Sabes que he visto sus juegos?

Ernest se iluminó como una máquina de pinball cuando el jugador lo gana todo.

—¿Los has visto? ¿Los juegos de Bolaño?

—Sí, cuando estuve en Blanes visité a su familia. Los juegos de mesa estaban en una estantería de un armario. Les hice una fotografía, aunque quizá no habría debido.

—¿Puedo ver la foto?

—Claro —le dije—. Puedes quedártela, pero igual tardo un poco en encontrarla.

Recogió el libro, el de la cubierta roja y amarilla que presentaba el triángulo. Me dijo que tenía que ir a otro sitio, era algo importante. Escribió una dirección en el reverso de una servilleta de papel. Acordamos vernos la tarde siguiente.

—Y no te olvides de la foto.

«Te Mana Café, Voltaire Street. Dos en punto.» Doblé la servilleta y pedí otro café con un gesto. Por desgracia, en un arrebato le había prometido regalarle una fotografía pese a que estaba en algún lugar perdido de Manhattan y yo no tenía la menor idea de dónde la había guardado, en qué libro podía haberla metido o en que caja podía haberla echado sin más, junto con otros cientos de fotografías intrascendentes. Polaroids en blanco y negro de calles y obras arquitectónicas y fachadas de hotel que creía que siempre recordaría pero que luego me resultaba imposible identificar.

No se lo dije a Ernest, pero, en el fondo, me había entrado un mareo de vértigo al encontrarme por casualidad los juegos de Bolaño. No un mareo de los de vomitar, sino un mareo de fractura en el tiempo. La estantería de ese armario contenía un mundo de energía, la concentración invertida en algún momento en esas pilas de juegos de mesa todavía era potente, se manifestaba como un sentido hiperobjetivizado, que observaba todos mis movimientos.

La tarde se fundió en la noche. Salió la luna, casi llena, y afectó a mi comportamiento. Me senté en el murete bajo de cemento a contemplar las luces distantes del WOW hasta que se apagaron. A modo de respuesta, las estrellas fueron encendiéndose una por una, distantes y siempre presentes. De pronto, se me ocurrió que en realidad no era necesario que yo estuviera en el hospital con Sandy. Durante los últimos veinte años hemos vivido en costas opuestas del país, pero hemos mantenido abiertos los canales, confiando en el poder de la mente para trascender esos cinco mil kilómetros. ¿Por qué iba a ser diferente ahora? Podía velarlo sin importar dónde estuviera, componer otro tipo de nana, una que permeara el sueño, una que consiguiera hacerlo despertar.

Tal como había prometido, me reuní con Ernest en Voltaire Street, en un local agradable de estilo hawaiano en el que servían tiras de cerdo y batidos con sombrillitas. Llegó tarde y me pilló en mitad de una frase de un soliloquio; se presentó un tanto despeinado, con un botón de la camisa desabrochado. Pidió dos cafés cubanos y expuso con gran exaltación lo que le rondaba la cabeza, que en resumidas cuentas era que pensaba hacer las maletas y marcharse, para seguir la estela de un santo que ayudaba a niños desnutridos y que sufrían enfermedades relacionadas con el estilo de vida.

—¿Tienes hijos? —le pregunté.

—No, pero desde mi punto de vista, todos los niños del mundo son nuestros hijos. Mi hermana tiene tres críos. Dos son tan enormes que casi no pueden moverse. Los malcría, los atiborra de pan frito y azúcar. El santo va a salvar a esos niños.

Se me agolparon las preguntas relacionadas con todo lo que había leído acerca del aumento de cánceres pediátricos, diabetes e hipertensión infantil, pues el mundo de la comida rápida se cernía sobre nuestros retoños.

—¿Y cómo lo hará? —pregunté.

—Ahora no puedo decírtelo.

—¿Cómo lo has conocido?

Me miró con suma fijeza, como si confiara en que pudiera leerle el pensamiento, para ahorrarle un tiempo muy preciado.

—Se me reveló en un sueño, como toda la información sagrada. Vive en el desierto y creo que sé dónde encontrarlo. Es una cuestión de culto, de los buenos, y voy a unirme. Tal vez pueda trabajar en una granja o ayudar a construir refugios o formar equipos de béisbol para los chicos.

—Las chicas también juegan a la pelota.

—Sí, claro —contestó con aire distraído—. Béisbol para todos.

—Mi bendición para los niños y gracias por confiar en mí.

—Quizá nos veamos en otro momento.

—Pero ¿y cómo te encontraré? —le pregunté.

—No tires los envoltorios, póntelos debajo de la almohada por la noche. Iré a visitarte en tus sueños. Cuando encuentres la foto, guárdamela.

Y entonces se esfumó, en una misión de lo más inesperado. Estrellas de mar atrapadas en redes de pescar multicolores decoraban las paredes. El café que había pedido Ernest era dulce y sabía mucho a canela. Me senté y me vi de vuelta en Nueva York, cribando entre capas y más capas de arqueología visual. Por no hablar de lo oscura que había quedado la fotografía.

Alguien había apilado de forma meticulosa las cajas de los juegos, pero no se revelaba nada más del interior del armario: su cazadora de cuero, los gastados zapatos de piel y su cuaderno para *2666*, fino, negro y con crípticas anotaciones en papel cuadriculado. Cosas que vi y toqué.

—Ese tipo no ha pagado la cuenta —se quejó la camarera.

—Ah, ya lo hago yo —contesté.

Había un botón en el suelo, junto a mi pie. Solo un botón pequeño de plástico gris con un hililllo diminuto pegado, que me metí en el bolsillo; una moneda de la suerte con la cara hacia arriba de un sueño dentro de un sueño.

Esa noche extendí los envoltorios sobre la mesa. Ni rastro de chocolate. Ni olor a caramelo. Aparte de un poco de arena, limpios como una patena. «Es una cuestión de culto», había dicho Ernest. De pronto caí en la cuenta de la absurdidad de esa investigación y me eché a reír a carcajadas. Una risa que quedó suspendida en el aire, como si me respondiera. Intenté hacerme una composición de lugar. Vale, yo estaba en el Dream Motel, sentada en una silla junto a las puertas correderas de cristal que daban a la playa. Tuve un sueño que me impulsó a hacer autoestop desde Santa Cruz hasta San Diego, donde había conocido a Ernest, quien me había hablado de las hogueras que nadie veía salvo yo. Recuerdo que hurgué entre envoltorios carbonizados y luego guardé pedacitos de ceniza en una gasa doblada.

Me levanté de un brinco y rebusqué en los bolsillos de la cazadora, pero el rollo de gasa se había desvanecido, aunque noté las yemas de los dedos tiznadas de hollín. Ernest me había dicho que durmiera con los envoltorios debajo de la almohada, pero no indicó en qué estado. En el cajón de la mesita de noche había un paquete de cerillas con un número de teléfono escrito dentro. Froté dos cerillas a la vez y prendí fuego al envoltorio. Se fue quemando poco a poco mientras soltaba un leve aroma a campo de heno. Arranqué una página del cuaderno, vertí las cenizas en el centro y doblé el papel una y otra vez, como si fuese un pájaro de papiroflexia.

Deslicé el paquetito debajo de la almohada y me pregunté si Ernest y yo éramos amigos. Al fin y al cabo, él no sabía nada de mí, y yo todavía menos de él. Aunque algunas veces es así, es posible conocer a un imperfecto desconocido mejor que a cualquier otra persona. Me fijé en el botón gris en medio del polvo. Supongo que debió de caérseme del bolsillo cuando tiré la cazadora, todavía hecha un rebullón en el suelo. Alargué el brazo para coger el botón, un sencillo gesto idéntico a otro que parecía destinada a repetir.

Se oía el aullido de unos perros y, más lejos, en Santa Cruz, el ladrido gutural del rey de los leones marinos reverberaba sobre el muelle mientras los demás dormían. Había un sonido bajo y silbante. El aullido se desvaneció lentamente. Casi me pareció oír el preludio de *Parsifal* elevándose desde una inocente neblina. Una fotografía se cayó de un monedero, un niño y una mujer con un vestido oscuro de crepé. Estaba segura de haber visto esa imagen en alguna otra parte, quizá en una escena de película. Un primer plano de los ojos color chocolate, una alfombra ondulante de flores diminutas que en realidad no era una alfombra, sino el vuelo de un vestido iluminado por un coche al pasar. Deslicé la mano por debajo de la almohada y toqué el paquete, para cerciorarme de que de verdad estaba ahí. Sí, afirmé adormilada, luego cerré los ojos, envuelta en un brumoso aleteo de imágenes: el cisne y la lanza y el Tonto Santo.

De nuevo en Voltaire Street, me topé con Cammy junto al mercado de productos ecológicos y la ayudé a repartir varias cajas de cebolla caramelizada. Me fijé en que tenía el cargador enchufado en el salpicadero. Hacía mucho que se me había muerto el móvil, porque me había olvidado el cargador en el Dream Motel; lo había dejado colgado del enchufe de la pared, sin ninguna finalidad, por desgracia. Cammy me dejó usar su teléfono para preguntar cómo estaba Sandy. Ella no paró de hablar durante toda la llamada telefónica, pero conseguí captar el informe médico. No había recuperado la conciencia.

Cammy me contó que había conocido a una mujer que a su vez conocía al tío de uno de los niños desaparecidos, los que había mencionado al final de nuestro trayecto en coche. Casi se me había olvidado. Resultó que devolvieron al muchacho ileso, pero con una etiqueta prendida de la camisa en la que ponía que tenía un soplo en el corazón. Nunca lo habían diagnosticado, pero quedó confirmado al instante. Se pasó la noche llorando, quería regresar, se negaba a contarles lo ocurrido. No dije nada, pero no pude evitar pensar que se parecía muchísimo a la historia del niño lisiado que fue enviado de vuelta a casa después de probar un instante el paraíso en el cuento del flautista de Hamelín.

—Mañana tengo que ir a Los Ángeles —me dijo—. He de hacer una entrega importante en Burbank.

—Estaba pensando en ir a Venice Beach —comenté de forma impulsiva—. ¿Te importa si vamos juntas? Yo pago la gasolina.

—Trato hecho.

Esa noche, desde el teléfono del hotel, llamé a todos los que creía que debía llamar. Nadie estaba disponible o, mejor dicho, nadie contestó. Dejé varios mensajes. «Se me ha muerto el móvil. Estoy bien. Puedes llamarme al hotel.» Todo el episodio tenía un aire fúnebre. Cuatro personas, cuatro teléfonos muertos.

Cerré la ventana. Empezaba a refrescar. Cogí el boli del hotel y llené unas cuantas páginas de mi cuaderno mientras esperaba a que sonara el teléfono, pero no lo hizo.

Devolví la llave del hotel y me tomé una magdalena de salvado rancia y un café solo en el vestíbulo. Entonces llegó Cammy con su Lexus. Llevaba un jersey de color rosa y el asiento posterior estaba repleto de cajas precintadas. Mientras nos acercábamos a Los Ángeles, me puso al día a toda velocidad acerca de las diversas idas y venidas del mundo de Cammy, algunas de las cuales por suerte logré ahorrarme cuando mi mente decidió perderse por otros derroteros.

—¡Ay, por cierto! —exclamó de pronto—. ¿Te has enterado de las desapariciones de Macon?

—¿Macon? ¿En Georgia? ¿Te refieres a unos niños?

—Pues sí, siete críos.

Experimenté la misma sensación que tengo cuando miro hacia abajo desde un lugar sumamente alto. Era como si unas diminutas células de hielo se movieran muy despacio y vibrasen dentro de mis venas.

—¿Te lo puedes creer? —preguntó—. Una de las Alertas Amber más grandes de la historia.

Cammy encendió la radio, pero en las noticias no dijeron nada al respecto. Ambas nos sumimos en un silencio bienvenido, hasta que me dejó en Venice Beach. Le di cuarenta dólares y ella me dio un frasquito con la etiqueta MERMELADA DE RUIBARBO Y FRESA.

—Siete niños —musité mientras me desabrochaba el cinturón.

—Sí, ¿a que es increíble? Es una locura. Ni un mensaje de rescate, ni una petición de recompensa. Como si los hubiera encantado el propio flautista de Hamelín.

Venice Beach, ciudad de detectives. Allá donde hay una palmera, está Jack Lord, está Horatio Caine. Me registré en un hotelito cerca de Ozone Avenue, no muy lejos del paseo marítimo. Desde la ventana, se veían las jóvenes palmeras y la entrada posterior del On the Waterfront Café, un buen sitio para comer. Te servían el café en una taza blanca decorada con una simpática estrella de mar azul que flotaba encima de su lema: «Donde la bebida es tan buena como las vistas». Las mesas estaban cubiertas con hule verde oscuro. Me pasé el rato ahuyentando las moscas, pero no me importó. Nada me importaba, ni siquiera las cosas que me importaban.

Me fijé en que enfrente tenía a un hombre guapo, una especie de Russell Crowe joven, sentado frente a una chica con mucha base de maquillaje denso. Supuse que quería tapar las imperfecciones de su piel, pero desprendía algo interior que se palpaba por toda la sala, llevaba las gafas de sol a modo de diadema, una melena corta morena, un abrigo de imitación de leopardo; era una réplica natural de una estrella del cine. Estaban inmersos en su mundo, donde me colé también: me los imaginaba como el detective Mike Hammer y la glamurosa y distante Velma. Mientras escribía todos esos pensamientos, la pareja se marchó sin que me diera cuenta, la camarera limpió la mesa y puso servilletas y cubiertos nuevos, como si nunca hubieran estado allí.

Siempre me ha gustado Venice Beach, porque esa playa me parece inmensa, una enorme extensión que aumenta todavía más con la bajamar. Me quité las botas, me remangué los pantalones y me puse a pasear por la orilla. El agua estaba tremendamente fría, pero era terapéutica, se me empaparon las mangas de tanto coger agua del mar entre las manos para salpicarme la cara y el cuello. Me fijé en un envoltorio solitario atrapado entre las olas, pero no lo retiré.

«El problema de soñar», murmuró una voz familiar, pero me vi atraída por el sonido de unos pájaros peculiares, grandes graznadores, en posición de alerta y justo a punto de ponerse a hablar. Por desgracia, una pequeña parte de mí ya había empezado a debatir si en realidad los pájaros podían hablar o no, lo cual rompió la conexión. Giré sobre mis talones y me reprendí por haber dudado, para mi desgracia, cuando soy totalmente consciente de que las criaturas aladas poseen la capacidad de formar palabras, embarcarse en monólogos y en ocasiones dominar incluso una conversación entera.

Decidí que cenaría en On The Waterfront, pero fui en sentido contrario y pasé por delante de una pared cubierta de murales, escenas que parecían extraídas de *El violinista en el tejado* de Chagall, violinistas flotando en medio de lenguas de fuego que producían una desconcertante sensación de nostalgia. Cuando por fin volví sobre mis pasos y entré en On the Waterfront, pensé que había cometido un error. El ambiente no se parecía en nada al de la tarde. Había una mesa de billar y el local estaba abarrotado de tíos de todas las edades con gorras de béisbol y enormes vasos de cerveza con rodajas de limón. Algunos me miraron al entrar, una extraña poco amenazante, y luego retomaron la bebida y la conversación. En una pantalla grande se veía un partido de hockey sin volumen. El estruendo, el zumbido, era todo masculino, de un masculino amistoso, risas y charlas, rotas únicamente por el golpe de una bola con el taco de billar, la bola al entrar en el agujero y caer en la cesta. Pedí un café y un sándwich de pescado con ensalada, el plato más caro de la carta. El pescado era pequeño y estaba demasiado frito, pero la lechuga y las cebollas eran frescas. La misma taza con la estrella de mar, la misma bebida. Dejé el dinero en la mesa y salí. Llovía. Me puse el pasamontañas. Al pasar por delante del mural, saludé con la cabeza al violinista yidis, lamentando un miedo latente a la desaparición de los amigos.

La calefacción no funcionaba en mi habitación. Me tumbé en el sofá, bien tapada, y vi sin mucho interés el canal Extreme Homes, episodios interminables de arquitectos que describían cómo habían construido sobre la roca y sobre capas de lutita en pendiente, o explicaban la mecánica de un tejado de cobre retráctil de cinco toneladas. Moradas que parecían pedruscos enormes replicaban los pedruscos auténticos que las rodeaban. Casas en Tokio, Vail y el desierto de California. Me quedaba dormida y, al abrir los ojos, me encontraba con una repetición de la misma casa japonesa, o de una casa que representaba las tres partes de *La Divina Comedia*. Me preguntaba qué se sentiría al dormir en un cuarto que imitara el Infierno de Dante.

Por la mañana observé las gaviotas que se lanzaban en picado junto a mi ventana. Estaba cerrada, así que no podía oírlas. Gaviotas silenciosas, silenciosas. Lloviznaba y el pelo de las palmeras altas se mecía al viento. Me puse la gorra y la cazadora y salí en busca de desayuno. Como On the Waterfront estaba cerrado, me decidí por un sitio en Rose Avenue que tenía su propia panadería y un menú vegetariano. Pedí un bol de kale y boniatos, pero lo que me apetecía en realidad era un bistec y unos huevos. El tipo que tenía al lado le soltaba una perorata a su compañera acerca de no sé qué país que importaba unas tortugas mordedoras carnívoras gigantes para deshacerse de los cadáveres que flotaban en un río sagrado.

Junto a Rose Avenue había una librería de segunda mano. Busqué un ejemplar de *El Tercer Reich*, pero no tenían ningún libro de Bolaño. Encontré un DVD usado de *El flautista de Hamelín*, donde salía Van Johnson. No me podía creer la suerte que había tenido. Me vino a la cabeza la voz de Kay Starr, la madre del chico lisiado, cantando su lamento desgarrador. «¿Dónde está mi hijo, mi hijo John?» Eso me llevó a pensar en los niños desaparecidos. Niños y envoltorios de chocolatinas. Tenía que haber alguna relación entre ambos, aunque quizá no fuese tan evidente. Por increíble que pareciera, en ninguno de los periódicos dijeron una sola palabra sobre los niños desaparecidos. Empezaba a tener dudas sobre aquel tema, aunque me costaba creer que Cammy pudiera inventarse semejante historia.

Me paseé por unas galerías comerciales de Pacific y me detuve delante de una puerta en la que ponía MAO'S KITCHEN. Allí me quedé plantada, preguntándome si debía entrar o no, hasta que se abrió y una mujer me indicó que pasase. Era una especie de local comunitario, con una cocina abierta preparada con fogones industriales y recipientes de *dumplings* humeantes debajo de un cartel que rezaba LA MANDUCA DEL PUEBLO, junto con unos pósteres descoloridos de campos de arroz en la pared del fondo. Me recordó a un viaje que hicimos mi amigo Ray y yo, cuando fuimos en busca de la cueva cercana a la frontera de China en la que Ho Chi Minh escribió la Declaración de Independencia Vietnamita. Juntos caminamos por interminables arrozales, de un dorado pálido, con un cielo azul despejado, abrumados por lo que para la mayor parte de la gente era un espectáculo cotidiano. La mujer me ofreció un cuenco con jengibre fresco, miel y limón.

—Está tosiendo —me dijo.

—Siempre toso —contesté con humor.

En el platito había una galleta de la suerte. Me la guardé en el bolsillo, para más tarde. Me sentí en conexión con la modesta paz que ofrecían por el mismo precio, sin pensar en nada en concreto. Solo hebras de cosas, cosas inconexas, como recordar que mi madre me dijo una vez que Van Johnson siempre usaba calcetines rojos, incluso en las películas en blanco y negro. Me pregunté si también los llevaba cuando interpretó al flautista.

De vuelta en mi habitación, abrí la galleta y desenvolví el mensaje que contenía. «Pisarás el sueño de muchos países.» Iré con cuidado, dije casi para mis adentros, pero luego leí mejor la frase y vi que en realidad ponía «el suelo». Por la mañana, decidí reseguir mis pasos, retroceder hasta el principio, regresar a la misma ciudad y al mismo hotel de Japantown, a poca distancia de la misma Pagoda de la Paz. Era el momento de sentarme a montar guardia junto a Sandy, que se abría paso como podía entre los extremos celulares; no para explorar un sistema imaginario, como tenía por costumbre, sino para zambullirse en las profundidades de sí mismo. De camino al aeropuerto se me ocurrió que la historia del flautista de Hamelín no era en esencia una historia de venganza, sino de amor. Me compré un billete de ida a San Francisco. Por un instante, me pareció ver a Ernest pasando el control de seguridad.

*Pagoda de la Paz, Japantown*

# UCI

No había mucho tráfico para entrar en San Francisco. Todavía no tenían preparada mi habitación en el hotel Miyako, de modo que pasé por dos centros comerciales cubiertos y comí en On the Bridge. Todo estaba exactamente igual que semanas antes, aunque echaba de menos la reconfortante presencia de Lenny. La cocinera me preparó unos espaguetis con huevas de pez volador. Unos videoclips de *anime* sacados de *La bola del dragón* se repetían en las pantallas de televisión. Sin querer, me puse a repasar la trayectoria del manga, hojeé hacia atrás *Death Note 7*, en un intento de dar sentido a los dibujos: una amenaza negra que pendía sobre el chico Luz y se colaba por las páginas de secuencias numéricas intermitentes. Mis espaguetis se esfumaron. Apenas era consciente de habérmelos comido. En la cuenta del restaurante ponía 1 de febrero. ¿Adónde había volado enero? Escribí una lista de las cosas que debería haber hecho. Pronto las haré, me dije, pero en cuanto amaneciera, iría al hospital en el que Sandy seguía inconsciente, en la Unidad de Cuidados Intensivos. A pesar de eso, entré en una tiendecita y le compré unos caramelos hechos con pasta de alubias rojas. A Sandy le encantaban esas cosas, pedacitos de cielo con forma de abanico.

Me retiré temprano. En la tele no daban nada. Me imaginé que estaba en Kioto, lo cual fue sencillo, porque la cama del hotel estaba muy cerca del suelo, junto a una lámpara de papel de arroz y un cúmulo de piedrecillas en escala de grises dispuestas sobre una caja de arena de bambú. En la mesita de noche había un lápiz de colores que parecía un bastón de caramelo. No tengo tanto sueño, me dije, debería levantarme y ponerme a escribir, pero no lo hice. Al final, escribí las palabras que están aquí, a la par que otro conjunto de palabras se desvanecían, «alfabetizando» el éter, burlándose de mí en mis sueños. «No sigues los argumentos, los negocias.» La sabiduría del manga, un mantra repetitivo que se mezclaba con mis propios pensamientos.

El lápiz me parecía lejanísimo, fuera del alcance de la mano, y literalmente observé cómo yo misma me quedaba dormida. Las nubes tenían un tono rosado y caían como gotas del cielo. Llevaba unas sandalias y daba patadas entre montículos de hojas rojas que rodeaban un altar en una colina baja. Había un pequeño cementerio con hileras de deidades con forma de mono, algunas adornadas con capas rojas y gorros de lana. Unos cuervos inmensos picoteaban entre las hojas secas. «¡No significa nada!», gritaba alguien una y otra vez, y eso es todo lo que pude recordar.

Por la mañana me procuré el transporte hasta el hospital, en el condado de Marin, a través de unos amigos comunes que habían asumido la responsabilidad de atender a Sandy. Como no tenía familiares vivos, la labor quedaba relegada a un pequeño pero devoto círculo que lo conocía y lo quería. Volví a entrar en la UCI. Nada había cambiado desde mi última visita con Lenny; el médico parecía tener pocas esperanzas de que Sandy recuperase la conciencia. Rodeé su cama. A los pies de la misma había una tabla de hospital, su segundo nombre era Clarke, mi hijo nació el día de su cumpleaños, un dato del que, no sé cómo, me había olvidado. Me quedé allí hurgando en busca de los pensamientos adecuados, los que pudieran permear el tupido velo del coma. Tuve flashes de Arthur Lee en la cárcel, con librillos rojos desperdigados como una baraja de naipes. Vi a Sandy cayéndose a cámara lenta en un aparcamiento cerca de un cajero automático. Casi pude oírlo pensar. «Convalecencia. Latín. Siglo XV.» Me quedé todo el tiempo que pude y me esforcé por sobrellevar mi intensa fobia a los tubos, a las jeringuillas y al silencio artificial de los entornos hospitalarios.

Iba y venía a diario del hotel al hospital. Los olores a medicamento y el chirrido de las suelas de goma de las enfermeras que entraban con portafolios y bolsas de plástico de líquidos me irritaban, mientras permanecía sentada junto a la cama, buscando con desesperación alguna forma de entrar, algún canal conector. El último día, aunque ya habían terminado las horas de visita, nadie me indicó que me marchara, así que me quedé hasta el anochecer. Me puse a proyectar constelaciones de palabras en sus sábanas blancas, un revoltijo interminable de frases que surgían de la boca de unos tótems milagrosos que cubrían un horizonte inaccesible. Medea y dioses monos y niños y envoltorios de chocolatinas. ¿Qué sentido le encuentras a esto, Sandy?, pregunté en silencio. El latido de las máquinas. El goteo del suero. Sandy me apretó la mano, pero la enfermera dijo que no significaba nada.

*Santuario Hie, Tokio*

# El año del Mono, 2016

Justo enfrente del hotel había una empresa de mensajería. Empaqueté mis últimas pertenencias y las envié a Nueva York, después caminé hasta la otra punta de la ciudad, rumbo al territorio de Jack Kerouac. Al cruzar Chinatown, me topé de forma inesperada con los preparativos del nuevo año lunar, el año del Mono. Confetis de colores caían del cielo, eran cuadraditos de papel con la cara de un mono estampada en rojo. «Desfile 27.» Sin duda sería espectacular, pero me marcharía mucho antes de que se celebrara. Qué curioso, me había ido de San Francisco un día de Año Nuevo e iba a volver a marcharme otro día de Año Nuevo. Notaba la fuerza gravitacional de mi hogar, que, cuando paso demasiado tiempo en casa, se convierte en la fuerza gravitacional de otra parte.

El banco de los tres monos sabios estaba vacío. Me senté unos minutos a recomponerme, ya que las festividades me pillaban por sorpresa. Recordé que una vez, de niña, me había sentado con mi tío en un parque delante de una efigie similar de tres monos. ¿Qué mono preferirías ser?, me preguntó. ¿El que no ve el mal, el que no dice el mal o el que no oye el mal? Me entró un leve mareo, pues temía equivocarme al elegir.

Encontré una callejuela justo fuera del perímetro del barrio. *Dumplings* para llevar, dos mesas cubiertas de hule amarillo. No había carta. Me senté a esperar. Un chico de cara redonda y en pijama apareció con un vaso de té y una cestita de *dumplings* humeantes, luego desapareció detrás de una cortina de flores rosadas y verdes. Me quedé un rato quieta, preguntándome qué hacer, hasta que al final decidí seguir el impulso que dominase a los demás. En otras palabras, el impulso que ganase, fuera el que fuese. El té estaba frío y de pronto tomé conciencia de estar aislada en un restaurante extraño. Esa sensación exagerada aumentó hasta que sentí que me encontraba atrapada dentro de un campo de fuerzas, como un habitante de la ciudad embotellada de Kandor dentro de un cómic de *Superman*.

Oí varias sartas de fuegos artificiales que estallaban a unas cuantas calles de allí. El año del Mono había comenzado y yo no tenía nada claro cómo se iba a desarrollar. Mi madre había nacido en 1920, el año del Mono de Metal, así que llegué a la conclusión de que su sangre quizá me protegiera. El camarero no volvió a presentarse, de modo que dejé unas monedas en la mesa, crucé la barrera invisible y caminé desde Chinatown hasta Japantown, para regresar al hotel.

Extendí mis escasas pertenencias sobre la cama: mi cámara con el fuelle roto, el carnet de identidad, el cuaderno, la pluma, el móvil muerto y algo de dinero. Decidí que volvería a casa pronto, pero todavía no. Con el teléfono del hotel, llamé al poeta que me había regalado un abrigo negro, un abrigo muy apreciado que luego había perdido.

—¿Puedo ir unos días a visitarte, Ray?

—Claro —me contestó sin dudarlo—, puedes dormir en mi cafetería. Estoy preparando café verde.

Tomé un desayuno al estilo japonés en una caja laqueada rectangular y luego devolví la llave del hotel. El viejo mozo de habitaciones que llevaba años apostado allí me preguntó cuándo iba a volver.

—Pronto, supongo. Cuando tenga otro trabajo.

—Será diferente —dijo con nostalgia—. Se acabaron las habitaciones japonesas.

—Pero este siempre ha sido un hotel de estilo japonés —protesté.

—Las cosas cambian —me contestó mientras ya me metía en el taxi.

El vuelo hasta Tucson duraba dos horas y once minutos. Ray me estaba esperando cuando desembarqué.

—¿Dónde has estado? —preguntó.

—Bueno, por ahí. Santa Cruz. San Diego. ¿Dónde estabas tú?

—Comprando café en Guatemala. Luego en el desierto. Intenté llamarte —me dijo entrecerrando los ojos.

—No me llegó el mensaje —respondí a modo de disculpa—. En realidad, mi teléfono lleva muerto una buena temporada.

—No era esa clase de llamada —contestó.

—Ah, vale. —Me eché a reír—. Bueno, ahora estoy aquí, así que supongo que sí me llegó.

Cerró la cafetería, hizo sopa de maíz y yuca, luego desenrolló una esterilla y me preparó una cama. Hacía mucho tiempo que nos conocíamos, juntos habíamos viajado a sitios inhóspitos y sabíamos adaptarnos con facilidad a las rutinas del otro. Me proporcionó una mesa de trabajo y una lámpara infantil con una cascada pintada en la tela de la pantalla; cuando se encendía la luz, parecía que el agua fluyera. A las tantas nos pusimos a escuchar a Maria Callas, Alan Hovhaness y Pavement. Luego jugó al ajedrez en el ordenador un rato mientras yo repasaba todos los libros que abarrotaban sus estanterías, entre ellos los *Cantos* de Pound, las obras completas de Rudolf Steiner y un grueso volumen de geometría euclídea, que saqué del estante. Era un libro con numerosas ilustraciones que ni siquiera atisbaba a comprender, pero que traté de asimilar.

—Perdí tu abrigo —le dije—. El negro que me regalaste para mi cumpleaños.

—Ya volverá —comentó.

—¿Qué pasa si no vuelve?

—Entonces te saludará en la otra vida.

Le sonreí, sintiendo un extraño consuelo. No le mencioné los envoltorios de las chocolatinas ni los niños desaparecidos ni a Ernest. Era como si yo ya hubiera mudado la piel de esos días. Sin embargo, sí hablamos de Sandy y de tantos amigos que se habían marchado pero que cobraban vida a través del sentimiento mutuo. Al cabo de unos días, tuvo que ausentarse. No sé cuándo regresaré, me dijo, pero puedes quedarte todo el tiempo que quieras. Cargó mi móvil y me enseñó cómo se usaba su radio de frecuencia corta. Jugueteé un rato con ella y sintonicé la emisora de Grateful Dead.

Todavía estaba oscuro y Jerry cantaba «Palm Sunday». Me entró frío, así que busqué una manta en el armario. Encontré una Pendleton de un blanco roto y cuando tiré de ella para sacarla, algo se cayó de un pliegue. Al agacharme a recogerlo, un rayo de luna entró por la ventana. Era un envoltorio arrugado, Peanut Chewz, de un color que no tocaba, con «chews» mal escrito, sin restos de chocolate. Interesada, rebusqué en el armario por si había alguno más y encontré una caja de cartón medio precintada pero que aún se podía abrir. Una caja entera de envoltorios prístinos, había cientos. Me metí unos cuantos en el bolsillo, volví a pegar el precinto y salí a contemplar la luna, una enorme tarta brillante en el cielo.

Rememoré nuestra conversación. «Intenté llamarte.» Yo sabía que lo había hecho. Era la naturaleza psíquica de nuestra dinámica. Recordé los lugares a los que habíamos viajado juntos: La

Habana, Kingston, Camboya, isla de Navidad, Vietnam. Habíamos encontrado el arroyo de Lenin, donde se lavaba Ho Chi Minh. En Phnom Penh, las sanguijuelas me cubrieron el cuerpo cuando nos vimos atrapados en las calles inundadas. Temblando junto al lavabo en el baño del hotel, me estremecía mientras Ray iba quitándomelas una por una sin perder la calma. Recordé una cría de elefante decorada con flores que surgió de la densa jungla de Angkor Wat. Yo llevaba la cámara, así que me escabullí para seguir por mi cuenta al animal. Cuando regresé, me encontré a Ray sentado en el amplio porche de un templo, rodeado de niños. Les estaba cantando, el sol era un halo alrededor de su pelo largo. No pude evitar pensar en las Escrituras: «Dejad que los niños se acerquen a mí». Alzó la mirada y me sonrió. Oí risas, el tintineo de unas campanillas, pies descalzos en la escalera del templo. Todo estaba tan cerca, los rayos del sol, la dulzura, la sensación del tiempo perdido para siempre...

Por la mañana bebí dos vasos de agua mineral, hice unos huevos revueltos con cebollita tierna y comí de pie. Conté el dinero, me metí un mapa en el bolsillo, rellené la botella de agua y envolví unos buñuelos en un paño. Era el año del Mono y yo había irrumpido en un territorio nuevo, en una carretera sin sombra bajo un sol molecular. Continué caminando; suponía que tarde o temprano alguien acabaría por recogerme en el coche. Me hice visera con la mano y lo vi acercarse. Bajó la ventanilla manual de una desvencijada camioneta Ford de color azul, un pedazo de cielo viejo transfigurado. Se había cambiado de camisa, tenía todos los botones intactos y en cierto modo parecía otra persona, alguien que conocí en otra época.

—No eres un holograma, ¿verdad? —pregunté.

—Sube —dijo Ernest—. Cruzaremos el desierto. Conozco un sitio donde hacen los mejores huevos rancheros y un café del que seguro que disfrutarás. Entonces podrás juzgar si soy o no un holograma.

Había un rosario enroscado alrededor del espejo retrovisor central. Me sentí como en casa al viajar con Ernest en coche en medio de lo inexplicable; sueño o no sueño, ya habíamos zigzagueado por un territorio curioso. Confiaba en sus manos al volante. Me evocaban otras manos, las de los hombres buenos.

—¿Has oído hablar de los silenciadores de motor? —le pregunté.

—¿Qué esperabas? Es una camioneta vieja —respondió.

Ernest fue quien habló la mayor parte del tiempo. Geometría metafísica, con su estilo grave y meditativo, como si extrajese las palabras desde un compartimento secreto. Bajé la ventanilla. Matorrales interminables moteados de cactus suplicantes.

—No hay jerarquía. Ese es el milagro de un triángulo. No hay cúspide ni base ni favoritismos. Despréndete de las etiquetas de la Santísima Trinidad (Padre, Hijo y Espíritu Santo) y sustitúyelas todas por amor. ¿Entiendes a qué me refiero? Amor. Amor. Amor. Un peso equitativo que abarca la totalidad de la llamada existencia espiritual.

Íbamos rumbo al oeste. Ernest paró en un puesto fronterizo con una gasolinera, algunos suvenires y una fonda pequeña. Salió una mujer, que lo saludó como a un amigo de toda la vida; luego nos sirvió café y dos platos de huevos rancheros con alubias refritas y una pasta sedosa de aguacate. Clavado con chinchetas a la pared había un cuadro de Nuestra Señora de Guadalupe con casillas de números para indicar los colores que correspondían a cada parte, junto a una fotografía descolorida de Frida Kahlo y Trotski en un marco de cobre.

—Lo pintó mi nieta —dijo la mujer mientras se limpiaba las manos en el delantal.

Era bastante feo, pero ¿quién iba a culpar a una niña?

—Es bonito —comenté.

Ernest me miró desde el otro lado de la mesa.

—¿Y bien? —preguntó a la expectativa.

—¿Y bien qué?

—No me has escuchado. Estabas en otra parte.

—Ay, perdona.

—Bueno —continuó, moviendo con el tenedor las últimas alubias que le quedaban—, ¿qué me dices? ¿No son los mejores huevos rancheros que has probado en tu vida?

—Están riquísimos —contesté—, pero puede que los haya comido mejores.

—A ver, cuéntame dónde —me retó con aire indignado.

—En Acapulco en 1972. Estaba de invitada en una villa que daba al mar. No sé nadar y había una piscina grande, bastante profunda. Otro invitado me enseñó a flotar de espaldas, lo cual me pareció un logro considerable dadas las circunstancias.

—Saber nadar está sobrevalorado —comentó.

—Una mañana me levanté antes de la hora del desayuno, me metí en la piscina y floté. Cerré los ojos porque el sol ya pegaba bastante fuerte, y me sentí libre y satisfecha, pero cuando abrí los ojos, unos halcones daban vueltas sobre mí.

—¿Cuántos?

—No lo sé. Puede que tres, puede que cinco; creo recordar que tenían la cola roja. Eran hermosos, pero estaban demasiado cerca, así que me pregunté si habían pensado que estaba muerta y me entró pánico. Las nubes se desplazaron y el sol les iluminó

*Amor. Amor. Amor.*

*Puesto fronterizo, lago Salton*

las alas, y empecé a sacudirme y de verdad pensé que iba a ahogarme. De repente hubo una salpicadura inmensa. El cocinero se tiró sin pensárselo y me agarró por la muñeca, me levantó por encima del agua y me arrastró fuera de la piscina, luego me sacó el agua de los pulmones. Después me secó y me preparó unos huevos rancheros, los mejores que he comido en mi vida.

—¿Eso ocurrió de verdad?

—Sí —contesté—, no lo he maquillado en absoluto, todavía sueño con lo que pasó. Pero no fue un sueño.

—¿Cómo se llamaba?

—Era el cocinero. No recuerdo cómo se llamaba, pero nunca me he olvidado de él. Veo su cara en muchas otras caras. Era el cocinero, vestía de blanco y me salvó la vida.

—Pero ¿de dónde has salido?

—¿Por qué? —pregunté entre risas—, ¿piensas devolverme a casa?

—Todo es posible —me dijo—. Al fin y al cabo, es el año del Mono.

Dejó dinero en la mesa y salimos de la fonda. Me terminé el café y volví a subir a la camioneta mientras él comprobaba el estado de una rueda. Estaba a punto de preguntarle qué opinaba del nuevo año lunar cuando me fijé en que el sol había cambiado. Avanzamos un rato en silencio mientras el sol adquiría un tono rosado brillante, con pinceladas de rubí y violeta.

—El problema de soñar... —me dijo, pero yo estaba a un mundo de distancia, pisoteando la tierra roja en el corazón del Territorio del Norte—. Tienes que ir allí —dijo con obstinación.

—En realidad —contesté algo confundida—, lo que necesito ahora es un lavabo.

No había servicios a la vista. Debería haber ido antes, pero creía recordar un cartel de FUERA DE SERVICIO en la puerta del baño. Estábamos en medio de una llanura cubierta de roca y arbustos secos. En parte árido, en parte lunar. Ernest frenó en la cuneta y nos quedamos allí sentados. Noté la presión. Agarré el petate, me alejé bastante para que no me viera y me acuclillé detrás de un cúmulo de cactus plateados. Un largo hilillo de orina se deslizó por la tierra cocida. No paraba de darle vueltas al hecho de que Ernest hubiera sabido no sé cómo que yo estaba imaginándome en Ayers Rock. Pensé en Sam y en cómo, años atrás, solíamos soñar lo mismo, y en cómo, incluso ahora, parece saber lo que me ronda la cabeza. El hilillo se secó y una lagartija diminuta se escabulló por encima de mi bota. Sacudí los pensamientos para volver a lo inmediato, me incorporé y me subí la cremallera, después regresé a la camioneta. Desperdigadas por el terreno muerto había carcasas de pececillos, cientos, quizá miles, que se enroscaban como envoltorios de chocolatinas incrustados de sal. Cuando me acerqué al lugar donde estaba el vehículo, no vi nada más que el polvo de la huida. Ernest se había largado. Me quedé inmóvil, evaluando la situación, y pensé: no pasa nada, los alrededores del lago Salton, que cada vez está más seco, son un lugar tan bueno como cualquier otro para perderse.

Me dio la impresión de que había recorrido varios kilómetros a pie, pero todo seguía igual. Estaba segura de haber cubierto una cantidad considerable de terreno, aunque sin llegar a ninguna parte. Traté de apretar el paso, luego probé a caminar más despacio, suponiendo que acabaría por chocarme conmigo misma y rompería el bucle, pero no tuve tanta suerte, el largo panorama desértico se reajustaba sin cesar, hasta que cualquier nueva rutina se convertía en un bucle en sí misma. Saqué del bolsillo un buñuelo rancio envuelto en una servilleta. Estaba recubierto de azúcar y tenía un leve sabor a naranja, como uno de esos pastelillos mexicanos del día de los Muertos. Me puse a pensar en los adolescentes a los que había oído en el restaurante y me pregunté si su conversación fue pura coincidencia y si mi afirmación de que «envoltorio de chocolatina» era un sintagma nominal era del todo correcta. También me pregunté si la trivialidad de mi flujo de pensamiento entorpecía mi avance.

Cambié y puse en práctica un juego de dardos mental, una diana giratoria de posibilidades de alterar el tiempo a la que Sandy y yo solíamos jugar en los trayectos largos en coche. Lancé un dardo que iluminó el camino sideral hasta llegar a Flandes a finales de la Edad Media, lo cual me invitó a asaltar el aire con nuevos interrogantes, como, por ejemplo, por qué la frase dorada de la joven Virgen María, envuelta en un manto, se lee de derecha a izquierda y también hacia abajo en el panel de la Anunciación del retablo de Gante. ¿Se debería a que el pintor simplemente quería tomarnos el pelo? ¿O acaso el globo imperceptible que encierra sus palabras boca abajo y del revés tenía el propósito de acomodarse al ojo del Espíritu Santo, traslúcido y alado, que se hallaba posado sobre ella?

Esta preocupación eclipsó de forma gradual cualquier otra inquietud relacionada con sustantivos, verbos o paraderos posibles, mientras revivía con fluidez el pasado histórico. Vi la mano del maestro pintor cerrando las alas exteriores del tríptico. Vi otras manos abriendo con reverencia esos mismos paneles. Sus marcos de madera estaban oscurecidos por el avance del tiempo. Vi ladrones cargando con ese tríptico hasta un barco que navegaba por mares traicioneros. Vi la quilla destrozada y el mástil roto. El cielo era azul pálido sin una sola nube y seguí caminando, bebía despacio, para dosificar con cuidado las provisiones de agua. Anduve hasta llegar al lugar en el que quería estar, ante la paloma y la doncella, mientras se fundía la grasa del cordero.

*Estudio de san Jerónimo, Alberto Durero*

# Lo que dijo Marco Aurelio

Viajar de oeste a este a través de zonas horarias resulta más difícil de sobrellevar que a la inversa. Tiene que ver con las células P o «marcapasos». No me refiero a un artilugio artificial, sino a la porción del cerebro que mantiene en sincronía a nuestro cuerpo. Durante algunas semanas en la Costa Oeste sin duda había jugado con mis células P. Estaba grogui a la hora de la cena, luego cabeceaba un rato y me despertaba a las dos de la madrugada. Tomé la costumbre de pasearme por la noche, envuelta por el silencio. En ausencia de tráfico, se respiraba una sensación de muerte cercana. Había regresado a casa, a mediados de febrero, el mes olvidado.

El día de San Valentín fue el más frío de los registrados en la historia de Nueva York. Un engorroso manto de escarcha lo cubría todo, las ramas desnudas crujían en una sinfonía de corazones congelados. Carámbanos de hielo tan letales que eran capaces de herirte de verdad se desprendían y se precipitaban de los voladizos de los tejados y de los andamios y caían a las aceras, donde quedaban abandonados, como armas desechadas de una era primitiva.

Escribía muy poco, y tampoco pude deleitarme con el sueño del soñador. A lo largo de todo Estados Unidos, una luz tras otra parecía apagarse. Las lámparas de aceite de otra época titilaban y morían. El cartel permanecía en silencio, pero los libros de mi mesita de noche me hacían señas. *La cruzada de los niños*. *El coloso*. Marco Aurelio. Abrí sus *Meditaciones*: «No actúes como si fueras a vivir diez mil años»... La frase cobró un sentido terrible para mí, pues me veía ascender por la escalera cronológica, aproximándome a mi septuagésimo año de vida. Cálmate, me dije, limítate a disfrutar de las últimas estaciones de tus sesenta y nueve, el número sagrado de Jimi Hendrix, con su respuesta a tal sentencia: «Voy a vivir mi vida como me apetezca». Me imaginé a Marco Aurelio y a Jimi Hendrix enfrentados, cada uno de ellos elegiría un carámbano inmenso que se derretiría en sus manos mucho antes de que hubieran aceptado el duelo.

El gato se frotaba contra mi rodilla. Abrí una lata de sardinas, le troceé su ración, después corté unas cebollas, tosté dos rebanadas de pan de avena y me preparé un bocadillo. Al contemplar mi imagen en la superficie gris mercurio de la tostadora, me fijé en que parecía joven y vieja al mismo tiempo. Comí a toda prisa y no limpié después; en el fondo ansiaba algún pequeño indicio de vida, un ejército de hormigas que arrastraran migajas, surgidas de las ranuras entre las baldosas de la cocina. Ansiaba los brotes de las flores, el arrullo de las palomas, el desvanecimiento de la oscuridad, el regreso de la primavera.

Marco Aurelio nos pide que percibamos el paso del tiempo con los ojos abiertos. Diez mil años o diez mil días, nada puede parar el tiempo ni cambiar el hecho de que yo fuera a cumplir setenta durante el año del Mono. Setenta. Un simple número, pero uno que indica que se ha consumido un porcentaje significativo de los granos asignados en un reloj de arena, solo que aquí lo que se agota es uno mismo. Los granos van cayendo y me encuentro con que echo de menos a los muertos más que de costumbre. Me doy cuenta de que lloro más cuando veo la televisión, motivada por una historia de amor, o por un detective a punto de jubilarse al que disparan por la espalda mientras contempla el mar, o por un padre agotado que levanta a su recién nacido de la cuna. Me doy cuenta de que mis propias lágrimas me abrasan los ojos, de que ya no soy una corredora veloz y de que mi sensación del tiempo parece acelerarse por momentos.

Me esfuerzo mucho por dar más prestancia a esa imagen recurrente y sustituyo el reloj de arena convencional por uno grande de cristal fino en el que va cayendo polvo de mármol molido, como el del pequeño estudio grabado en madera de san Jerónimo o el del taller del propio Alberto Durero. Aunque sin duda debe de haber algún principio finito relativo al ritmo con que los granos van cayendo por un reloj de arena, no hay ventaja alguna en tener un reloj majestuoso o unos granos más perfectos.

Desde que contemplé a Marco Aurelio, trato de ser más consciente del transcurso de las horas, hasta el punto de que podría ver cómo ocurre, ese cambio cósmico de un dígito al otro. Pese a todos los esfuerzos, febrero se me escapa de las manos, aunque al ser un año bisiesto, tengo un día extra para observar. Me quedo mirando el número 29 en el calendario diario, luego, a regañadientes, arranco la página. Primero de marzo. Mi aniversario de boda, veinte años sin él, un pensamiento que me lleva a sacar una caja rectangular de debajo de la cama y abrir la tapa lo suficiente para alisar los pliegues de un vestido victoriano parcialmente oscurecido por un delicado velo. Al deslizar la caja por el suelo para guardarla de nuevo en su sitio siento un extraño mareo, un momento de vértigo melancólico.

En el mundo exterior, el cielo había oscurecido rápido, unos vientos altos entraron desde los cuatro puntos cardinales, agitándose a la vez junto con la rápida llegada de una lluvia torrencial, y así, sin más, todo se rompió. Ocurrió tan deprisa que no tuve tiempo de retirar la ropa y los libros del suelo ni de cerrar el tragaluz, fruto de un acuerdo, y el agua lo caló todo, subió por encima de mis tobillos, luego me llegó a las rodillas. La puerta parecía haber desaparecido y me vi atrapada en el centro de mi habitación cuando una oscuridad elíptica, una grieta creciente, que se llevó gran parte de la pared de escayola, se abrió hasta formar un camino largo salpicado de oscuros juguetes. Vadeé hacia él y creí ver peonzas errantes zigzagueando en un prado lleno de narcisos, cortándolos, arrojando sus formas atrompetadas hacia el aire inestable. Alargué el brazo y busqué a ciegas una salida o una entrada en el vacío, cuando un coro de chillidos que recordaban a pájaros me sobresaltó.

—No es más que un juego —canturreó una voz traviesa.

Era imposible confundir el tono desdeñoso del cartel parlanchín. Retrocedí e intenté reunir coraje.

—Muy bien —dije—, pero ¿qué juego?

—El Juego del Caos, por supuesto.

Sabía muy bien cómo era ese supuesto juego. Caos, un juego con mayúsculas con una deidad en minúsculas, que solo presagiaba problemas para la incauta participante. Una se ve asaltada por los componentes de una ecuación terrorífica. Un ojo maligno, dos estrellas que giran, engranajes en perpetuo movimiento. Un caos inequívoco instigado por el actual dios lunar y su banda de monos alados, un grupo ubicuo que una vez acechó a la desprevenida Dorothy en los hipnóticos campos de Oz.

—Creo que no me apunto —dije con terquedad, y, con la misma rapidez que había empezado todo, terminó de golpe.

Evalué los daños. Salvo por el desorden, todo estaba igual que antes. Al verme enfrentada a semejante calma, inspeccioné la pared de punta a punta: ni el menor rastro de un acceso oval, ni una grieta, la escayola estaba totalmente lisa. Pasé la mano por el acabado, imaginándome frescos, un estudio abarrotado, con hileras de cubos de pigmentos brillantes, un cielo de azul Prusia, amarillo ocre y laca carmesí. Una vez había anhelado existir en aquella época, una joven con una gorra de muselina que admirase el círculo cromático de Goethe, brillante y oscuro, girando poco a poco bajo la superficie de una piscina de mercurio. Reseguí por un instante su origen y me percaté de que los narcisos de primavera habían florecido demasiado pronto, luego observé cómo se marchitaban y se replegaban.

El agua goteaba desde la parte del tragaluz que aún quedaba abierta. Brotes destrozados por todas partes, que liberaban un aroma anestesiante si los aplastabas con los pies. Me sacudí todos los efectos sedantes y tiré las cabezas amarillas al cubo de basura, cogí el cubo y la fregona y sequé el suelo de madera. Después me dediqué a la tarea de separar varias páginas empapadas de un manuscrito desperdigado, descorazonada al observar las palabras que se disolvían en borrones indescifrables.

—La piscina también es un espejo —dije en voz alta, a quien fuera que pudiera oírme.

Me senté en el borde de la cama, respiré hondo varias veces y me puse unos calcetines secos. Los días de marzo que se avecinaban se burlaban de mí. La muerte de Artaud. La desaparición de Robert Mapplethorpe. El nacimiento de Robin y el cumpleaños de mi madre, el mismo día en que se dice que las golondrinas regresan a Capistrano, seguidas del primer día de primavera. Mi madre. Cuánto echo de menos a veces oír su voz. Me pregunté si las golondrinas volverían también este año, una pregunta infantil que también vuelve.

Los vientos de marzo. La boda de marzo. Los Idus de marzo. Josephine March. El numinoso marzo con sus fuertes asociaciones. Y, por supuesto, no hay que olvidar a la Liebre de

Marzo. Recuerdo que, de niña, me quedaba embobada ante la estrafalaria Liebre, convencida de que ella y el Sombrerero Loco eran el mismo ser, ambos igual de lunáticos. Me aferraba a la idea de que podían intercambiarse y, al mismo tiempo, seguir siendo ellos mismos. A los adultos racionales les parecía improbable, pero ninguno lograba refutar mi argumento con sus pruebas, ni con una ilustración de Tenniel ni con un personaje de Disney, ni siquiera el mismo Lewis Carroll me convenció de lo contrario. Quizá mi lógica tuviera muchos agujeros, pero también los tenía el País de las Maravillas. La Liebre era la invitada de honor para tomar el té en una merienda eterna, pues el tiempo calculable había sido abolido mucho antes de que empezase la fiesta. Fue el Sombrerero quien había matado el tiempo, al extender sus brazos y cantar el inmutable tema del País de las Maravillas, una canción que escuché hasta la saciedad durante toda mi infancia. Cuando Johnny Depp aceptó el papel del Sombrerero se vio tan atrapado en esa multiplicidad de seres que dejó de ser solo Johnny. Sin duda, se convirtió en el heraldo de esa reverenciada cancioncilla.

«¿Moriremos solo un poco?», cantaba, extendiendo los brazos como si quisiera abarcarlo todo. Lo oí con mis propios oídos mientras cada nota caía con el repicar de una lágrima de alegría, luego se disipaba. Desde entonces, me he planteado a menudo la invitación del Sombrerero que es Johnny: «¿Moriremos solo un poco?». ¿A qué podía referirse? Un inocente momento de confusión, sin duda, o un tipo de hechizo homeopático, una pequeña muerte que inmuniza contra los terrores de la muerte de verdad.

Las primeras horas de marzo se fundieron en los días siguientes. Me dejé llevar, poco más que una gota que resbala por la cola en espiral de un mono. El día del cumpleaños de mi madre me dijeron que, en efecto, las golondrinas habían acabado su migración y habían recalado en Capistrano. Esa noche soñé que estaba de vuelta en San Francisco en el hotel Miyako. Me encontraba en el centro de un jardín zen que era poco más que un arenero con pretensiones, y entonces oí la voz de mi madre. Patricia, fue lo único que dijo.

El primer día de primavera sacudí el colchón de plumas y abrí las contraventanas. Auténticos relicarios caían de las ramas de los árboles jóvenes y la sedante fragancia de los narcisos regresó. Comencé mis tareas, mientras silbaba una melodía a menudo olvidada, segura de que nosotros, igual que las estaciones, prevalecemos y de que incluso diez mil años son solo un parpadeo en el ojo de un planeta anillado o en el de un arcángel armado con una espada de cristal.

*El Stetson de Sam*

# El gran rojo

1 de abril, día de los Inocentes en Estados Unidos. Un bromista se peleaba con las riendas de la acción, mientras unas bolas de confusión rodaban hacia nosotros, convertidos en objetivos de unos tiradores de acero, que nos confundían, nos hacían perder el equilibrio. Las noticias palpitaban, la mente se empeñaba en intentar dotar de sentido a la campaña de un candidato que hilvanaba mentiras a tal velocidad que era imposible seguirle el ritmo o romper el hilo. El mundo se retorcía a su antojo, era rociado con una sustancia metálica, el oro de los tontos, que ya empezaba a descascarillarse. Lluvia y más lluvia; en abril, aguas mil, como dice el refrán, que cayeron por todo Estados Unidos, hacia el oeste, sobre el condado de Marin, un testigo melancólico de la lucha de Sandy. Intenté desprenderme de la incomodidad, hacer mi trabajo, rezar mis oraciones, aguardar el momento. Sobre el tragaluz repicó más lluvia, un millar de erráticos cascos de caballo, energías generosas galopando hacia la tierra.

Me senté al escritorio y encendí el ordenador, fui vadeando entre una larga cadena de peticiones. Había infinidad de mensajes, casi todos relacionados con el trabajo, y me impuse la tarea de barajar todas las propuestas, aunque me detuve emocionada más o menos por la mitad. Me ofrecían un encargo en

Australia, para un año después: varios conciertos en Sidney y Melbourne, además de un festival en Brisbane. Cerré el ordenador, saqué un atlas y localicé un mapa de Australia. Era un buen trecho y todavía faltaba mucho, pero sabía muy bien qué iba a hacer, daría nueve conciertos y después, cuando la banda se marchase a casa, me montaría en un avión lanzadera hasta Alice Springs y contrataría a un chófer que me llevara a Uluru. Contesté al instante. Sí, aceptaba la propuesta, y marqué los días en el calendario de 2017, que estaba vacío por completo. Varias aes a lo largo del marzo siguiente, desde Australia hasta Ayers.

De forma inexplicable, el cartel del Dream Motel había averiguado que yo ansiaba ver Ayers Rock, igual que Ernest. Décadas atrás, mi joven hijo, inspirado por unos dibujos animados australianos que le encantaban y que solíamos ver juntos, dibujó repetidas veces esa montaña con cera de color rojo en uno de mis cuadernos, de modo que tapó las letras escritas debajo. La esperanza de viajar allí con Sam en algún momento se había desvanecido, pero me abriría paso sola y sin duda él me daría su bendición. En el armario me aguardaban mis botas, cuyas suelas estaban curiosamente manchadas con la tierra roja de un lugar que yo nunca había pisado.

Llamé a Sam unos días más tarde, pero todavía no le mencioné el gran monolito rojo. En cambio, hablamos de caballos rojizos.

—Hace unos días fue el cumpleaños de Secretariat.

—Pero ¿cómo puedes acordarte del cumpleaños de un caballo? —me preguntó entre risas él.

—Porque es un caballo al que quieres mucho —contesté.

—Ven a Kentucky. Te contaré la historia de Man o' War, otro gran rojo. Podemos apostar en el Derby y verlo por la televisión.

—Trato hecho, Sam. Echaré un vistazo a los participantes antes de ir.

El 1 de mayo, me senté en el porche de mi casa en Rockaway. No había nada salvo las flores silvestres que crecían en mi pequeño retazo de tierra, como si el cielo mismo hubiera echado las semillas. Ahí fuera, aunque solo un trayecto en metro nos separa de la ciudad, la cosmovisión desaparece. Lo que queda es una pincelada de mariposas, dos mariquitas y una mantis religiosa. Todo se reduce a mi escritorio con un retrato de estudio de un joven Baudelaire, una secuencia de fotografías de Jane Bowles también joven, un Cristo de marfil sin brazos y una reproducción enmarcada de Alicia conversando con el Dodo. Todo se reduce a una polaroid de Sam y yo, ligeramente borrosa, en el café 'Ino hace unos años, cuando las cosas eran casi normales.

Repasé *The Morning Telegraph*, igual que había hecho de jovencita para imitar a mi padre, un meditativo calculador de probabilidades en las carreras de caballos. Quizá lo llevara en la sangre, pues en realidad se me daba bastante bien elegir a los caballos, sobre todo para apostar. Aun así, no tuve ninguna intuición al leer cuáles participaban, pero al final me decidí por Gun Runner. Dos días más tarde compré un billete a Cincinnati, pagué a un chófer para que me llevara hasta la frontera del estado, a una gasolinera cerca de Midland, donde me recogerían. Atisbé la camioneta blanca, cada vez más cerca. Sam y su hermana Roxanne. Con una punzada de dolor, advertí que no conducía Sam.

El último día de Acción de Gracias, Sam me había recogido en el aeropuerto en su camioneta, aunque con esfuerzo, conduciendo con ayuda de los codos. Hacía las cosas que podía y, cuando ya no podía, se adaptaba. En aquella época, él estaba

corrigiendo las pruebas de *Yo por dentro*. Nos despertábamos temprano, trabajábamos varias horas, luego nos sentábamos a descansar fuera en sus sillas de madera Adirondack y nos dedicábamos sobre todo a hablar de literatura. Nabokov y Tabucchi y Bruno Schulz. Yo dormía en el sofá de cuero. El sonido de su máquina de oxígeno era un murmullo suave y envolvente. En cuanto se preparaba para irse a la cama, se subía la colcha hasta la barbilla y cruzaba las manos, yo sabía que era el momento de dormir y algo dentro de mí lo aceptaba.

«Todo el mundo muere —me había dicho aquella vez, bajando la mirada hacia las manos que, poco a poco, iban perdiendo fuerza—, aunque nunca lo vi venir. De todos modos, lo llevo bien. He vivido mi vida como he querido.»

Ahora, como siempre, entramos de inmediato en el modo trabajo. Sam estaba en la recta final de la revisión de *Yo por dentro*. Físicamente, la tarea de escribir se le hacía cada vez más

fatigosa, así que le leía el manuscrito y él valoraba si hacía falta cambiar algo. Sus últimas correcciones requerían más pensamiento que escritura, ya que debía buscar la combinación de palabras deseada. Conforme avanzaba el libro, me vi deslumbrada por el atrevimiento de su lenguaje, una mezcla narrativa de poesía cinemática, imágenes del suroeste, sueños surrealistas y su singular humor negro. Indicios de sus retos actuales emergían aquí y allá, difusos pero innegables. El título procedía de una cita de Bruno Schulz, y cuando surgió el tema de la cubierta, lo solucionó de inmediato: una imagen de la fotógrafa mexicana Graciela Iturbide que Sam y yo habíamos encajado en la esquina de la ventana de la cocina. Una mujer indígena seri de melena morena y con la falda ondeando al viento en el desierto de Sonoma, que lleva un radiocasete en la mano. La contemplamos mientras tomábamos el café y asentimos con complicidad. Desde la ventana, veíamos los caballos de Sam, que se acercaban a la valla. Caballos que él ya no podría volver a montar. Nunca decía ni una palabra al respecto.

La mañana del Derby hicimos nuestras apuestas. Iba a ser una carrera rápida y ninguno de los dos tenía la corazonada de cuál iba a ganar. Sam me dijo que marcara Gun Runner, pues tendría la garantía de recuperar lo apostado si llegaba tercero, así que lo hice. La carrera estaba prevista para las 6.51 horas del horario de verano del este, la carrera número 142 en Churchill Downs. Mientras nos apiñábamos alrededor del televisor, se me ocurrió que era el cumpleaños de mi difunto suegro, Dewey Smith. Cuando aún vivía mi marido, solíamos reunirnos alrededor del televisor en casa de sus padres para ver el Derby; me pregunté qué caballo habría preferido Dewey. Había nacido en la parte este de Kentucky y su padre era un sheriff que patrullaba el condado a lomos de un caballo, con un rifle con muescas en el costado. Para asombro de Dewey, durante tres años seguidos yo había escogido el caballo que había llegado segundo, pero en esta ocasión mi caballo Gun Runner llegó el tercero.

Después de cenar, salí a sentarme en los escalones delanteros a contemplar el cielo. La luna estaba en cuarto menguante, igual que el tatuaje que Sam llevaba entre el pulgar y el índice. Una especie de magia, susurré, era una súplica más que cualquier otra cosa.

Unos cuantos días después de volver a casa, recibí un paquetito junto con una nota de parte de la hermana de Sam. Él había querido mandarme su navaja de bolsillo a la vez que mis ganancias, todo envuelto en papel de periódico. Coloqué la navaja en una vitrina de cristal, cerca de la taza de café de mi padre. Los días que siguieron me sentí cansada e insegura, con un ánimo muy distinto del habitual. Supuse que era simplemente un bajón, o quizá estaba incubando un resfriado, así que decidí no hacer nada.

El día 13 de mayo era la festividad de Juana de Arco, tradicionalmente un día de forzoso optimismo. Todavía me sentía tristona y la tos iba en aumento, y sin embargo, tenía la impresión de que algo borboteaba por debajo, algo estaba a punto de ocurrir, como el nacimiento de un poema o la erupción de un volcán pequeño. Esa noche tuve el sueño, uno que parecía más un regalo que una ensoñación, medicinal y puro como un arroyo ártico inmaculado.

En el sueño, estábamos solos en la cocina y Sam me hablaba del calor en el centro de Australia y del brillo color rubí de Ayers Rock y de cómo en aquella época (en aquellos tiempos, como decía él), antes de que hubiera complejos turísticos en la zona, había ido en solitario y sin guía, en jeep, y lo había visitado por su cuenta. Un carrete de recuerdos, como una película casera granulada, fue desvelándose ante mí y observamos cómo bajaba del jeep y empezaba el ascenso prohibido. Recogió las lágrimas de los aborígenes. Eran negras, no rojas, y se las guardó en una bolsita de cuero gastada, como la bolsa del talismán que se cayó del bolsillo de Tom Horn cuando lo ahorcaron por Dios sabe qué motivo.

Miré a Sam, sentado e inmóvil en su silla de ruedas eléctrica, aparcada delante de la mesa de la cocina. Su cabeza se había convertido en un diamante inmenso que giraba despacio, cuyos ojos incrustados emitían rayos de luz. Entonces todavía quedaba esperanza, pese a que todo era muy complicado. La habitación se contraía y expandía como un pulmón o como el fuelle de una gaita. Me apresuré a cumplir sus órdenes y desenchufé el oxígeno.

—¿Estás preparada? —me preguntó en el sueño.

—Pero ¿cómo vas a respirar así?

—Ya no lo necesito —contestó.

Viajamos hasta que Sam encontró el punto exacto que buscaba, entonces nos sentamos en unas cajas de madera, a esperar sin más. Apareció una mujer, que se puso manos a la obra y colocó una mesa baja de madera ante nosotros. Otra llegó con dos cuencos sin cubiertos y una tercera transportó un caldero de sopa humeante. El feto de un pollo negro flotaba en un caldo de dieciocho hierbas medicinales, junto con nueve yemas de huevo que formaban una corona alrededor de su diminuta cabeza. Un sistema solar de yema, un arco perfecto que iba de un pequeño hombro al otro.

—Es una receta antiquísima —me explicó Sam—, este caldo procede del sol. Bébetelo todo, es un regalo.

Tras ofrecerme un cucharón, las tres mujeres se retiraron. Me angustié al ver que estaba obligada a ser la que destruyera la imagen que flotaba y que ya había adquirido el aspecto de una estampa bordada.

—Tendrás que hacerlo —dijo, mirándose las manos.

Yo estaba convencida de que me provocaría náuseas, pero él me guiñó un ojo, así que bebí y al cabo de un instante apareció un camino, un camino de polvo de estrellas. Ambos nos incorporamos, pero me di la vuelta, confundida. Entonces Sam empezó a hablar, me contó la historia de Man o' War, el mejor caballo de carreras de la historia. Y me contó que era posible amar tanto a un caballo como a un ser humano.

—Sueño con caballos —me susurró—. Llevo toda la vida soñando con ellos.

Continuamos el viaje y al final me mareé, como me había temido. Tres días más tarde, todavía sudaba y vomitaba. Me sentía seca y deshidratada, así que tuvimos que ir parando en todos los arroyos imaginables para que pudiera beber. El cuarto día, vi que Sam recogía el agua entre sus propias manos.

—¿Cómo es posible? —pensé.

—El brebaje está funcionando —me dijo, leyéndome el pensamiento.

Y, sin embargo, él tampoco hablaba. Estaba de pie al borde de un tremendo desfiladero, más grande que el Gran Cañón, más grande que el cráter de diamantes de Siberia, masticando el extremo muerto de una brizna de paja. Me senté sin mover ni un músculo. Sam escuchaba una solitaria estampida, como si saliera de la respiración de un sueño letal. Y entonces, a través de su ojo de la mente, vi el mejor caballo de carreras de la historia, con una estrella blanca en la frente y el lomo rojizo y reluciente igual que las ascuas en la oscuridad.

*La taza de mi padre*

# Interludio

«Nada tiene solución. La solución es una quimera. Hay momentos de espontánea lucidez, cuando la mente parece emancipada, pero no es más que una epifanía.»

Esas eran las palabras que se extendían cinéticamente, como si el maldito cartel me hubiera seguido hasta Nueva York. Erguí la espalda de un brinco. Supongo que sin querer me había quedado dormida encima del escritorio, mientras trabajaba en el ordenador, porque una redundante retahíla de vocales erráticas terminaba una frase inacabada.

—Lo que se necesitan son pruebas. Solo las pruebas garantizan la verdadera distinción del matemático.

—Por no hablar del detective poeta —contesto irritada al cartel.

Me levanto y voy al lavabo; me detengo un momento a limpiar el asiento del inodoro, porque se detecta el fantasma de una huella de animal. Pruebas, musito mientras me lavo las manos. Euclides lo sabía. Gauss y Galileo. Pruebas, digo en voz alta, mirando con atención todo el espacio que me rodea. En un momento de acción decisiva, abro la ventana, arranco la ropa de cama y clavo la sábana de arriba a la pared, a fin de escudriñar su blancura. De una caja de material viejo, desentierro una plumilla negra para hacer ilustraciones, del tipo que usaban los artistas en el siglo XX.

Tras quedarme inmóvil varios minutos, resigo los pliegues y las curvas conocidos de la estratosfera en la superficie de la sábana.

Durante los días siguientes, las anotaciones sobre la sábana se multiplican. Fragmentos en griego, expresiones algebraicas, cintas de Moebius que se metamorfosean y la espiral oxidada de un muelle que marca la sábana con retazos de una ecuación indescifrable.

—Nada tiene solución —me amonesta el cartel luminoso.

—Nada solución —replica la Justicia con su balanza desequilibrada.

Sigo sus voces, entro en la biblioteca de un gran salón con volúmenes inmensos que contienen imágenes marcadas y conservadas, como en un álbum de recuerdos, con títulos a lápiz. El barco que se acercaba al puerto de Brundisium mientras Virgilio exhalaba el último aliento. Barcos fantasma congelados en el océano Glacial Ártico, de los cuales penden velos de hielo que relumbran como diamantes africanos. Huesos flotantes de gigantes prehistóricos que en otro tiempo fueron orgullosos icebergs. Navíos migrantes que se vuelcan y rostros infantiles azules y colmenas que se desploman y una jirafa muerta.

Nada tiene solución, susurra una voluta de polvo cuando devuelvo un tomo pesado a una estantería igual de polvorienta. Absolutamente nada, maldita sea, ni cósmicamente ni cómicamente. Noto el cartel siguiéndome la pista. Para vengarme, me doy la vuelta y le planto cara, aunque lamento encontrármelo algo enervado, de un humor nada propio de él.

—Nada tiene solución —repite el cartel.

—Nada solución —se hace eco la naturaleza.

Busco solaz en las nubes, que cambian de forma a toda velocidad: un pez, un colibrí, un niño haciendo esnórquel, imágenes de tardes pretéritas.

Es el calor sin precedentes y los arrecifes de coral agonizantes y la rotura de la placa de hielo ártica lo que me atormenta. Es el vaivén de Sandy entre la conciencia y la inconsciencia, su lucha contra una batería de infecciones bacterianas, mientras dibuja sus propios escenarios apocalípticos, salidos directamente de las entrañas del Heart o' the City Hotel. Lo oigo pensar, oigo la respiración de las paredes. Quizá sea necesario un cambio, un interludio de algún tipo, salir de un escenario, permitir que se desarrolle alguna otra cosa. Algo trivial, ligero y de lo más inesperado.

Hace un tiempo, durante un intermedio de *Tristán e Isolda* en La Scala, mientras buscaba un baño entré sin darme cuenta en una sala abierta en la que estaban preparando los vestidos de Maria Callas para una exposición. Ante mí apareció el característico caftán negro que la Callas llevó en su papel de Medea en la película dirigida por Pier Paolo Pasolini. También estaba su túnica, el tocado con velo, varios collares de inmensas cuentas de ámbar y la casulla con infinitos bordados que se vio obligada a vestir mientras cabalgaba por el desierto bajo un calor tan intenso que se dice que Pasolini dirigió la película en bañador. Su Medea, a pesar de estar interpretada por la soprano más cara de la historia, no cantaba, algo que a Sandy y a mí nos parecía exquisitamente irreverente, pues añadía una tensión discordante a la magnífica interpretación. Sopesé el ámbar y pasé la mano por toda la túnica, la misma que la había transformado en la bruja de la Cólquida. Sonó el timbre que anunciaba el fin del interludio y me apresuré a volver al asiento; mis compañeros no advirtieron nada diferente en mí. No tenían ni idea de que durante ese intermedio yo había tocado las vestimentas sagradas de Medea, cuyos hilos llevaban el sudor de la gran Callas y la huella invisible de Pasolini.

Nada tiene solución, pero me largo de todos modos, me digo mientras preparo mi reducida maleta. El mismo ritual de siempre: seis camisetas de manga corta de Electric Lady, seis mudas de ropa interior, seis pares de calcetines de canalé con una abeja bordada, dos cuadernos, remedios herbales para la tos, mi cámara, los últimos paquetes de película Polaroid que acaban de caducar y un libro, los *Collected Poems* de Allen Ginsberg, un guiño a su inminente cumpleaños. Su poesía me acompañará en una breve gira de conferencias, una que me llevará a Varsovia, Lucerna y Zúrich, libre durante el día para desaparecer por las callejuelas, algunas conocidas y otras extrañas, y acabar topándome con descubrimientos inesperados. Una ración de paseos erráticos y pasivos, un pequeño respiro del clamor, de los gritos del mundo. Las calles por las que caminó Robert Walser. La tumba de James Joyce en lo alto de una colina. El traje de fieltro gris de Joseph Beuys que cuelga, desatendido, en una galería vacía de Oslo.

Durante mis viajes, desconecto de las noticias, releo los poemas de Allen, una expansiva jukebox de hidrógeno que contiene todos los matices de su voz. El poeta no se habría desentendido del ambiente político actual, sino que habría saltado de cabeza, habría utilizado su voz en toda su potencia para animar a la gente a estar alerta, a movilizarse, a votar y, si es preciso, a verse arrastrada a un camión policial, en una desobediencia pacífica.

Mientras paso de frontera a frontera, el ajetreo del ambiente adquiere un carácter sobrenatural. Los niños parecen autómatas, muñecas de papel con chaquetitas que arrastran sus propias maletas adornadas con las chapas de sus propios viajes. Me muero de ganas de seguirlos, pero continúo mi camino lleno de

PHOTO

curvas y emprendo el viaje previsto a Lisboa, la ciudad de la noche empedrada.

Allí me reúno con los archivistas de la Casa Fernando Pessoa, donde me invitan a pasar un rato en la amada biblioteca personal del poeta. Me dan unos guantes blancos, que me permiten examinar algunos de sus libros favoritos. Hay varias novelas de detectives, la poesía completa de William Blake y Walt Whitman, y sus preciados ejemplares de *Las flores del mal*, *Iluminaciones* y los cuentos de Oscar Wilde. Sus libros parecen una ventana más íntima a Pessoa que su propia escritura, porque tenía muchos heterónimos que escribían cada uno con su firma, pero fue Pessoa en persona quien compró y amo los libros que pueblan sus estanterías. Tomar conciencia de ese detalle me intrigó. El escritor desarrolla personajes independientes que viven su propia vida y escriben con sendos nombres, nada menos que setenta y cinco, cada uno de ellos con un sombrero y un abrigo diferentes. Así pues, ¿cómo podemos conocer al verdadero Pessoa? La respuesta está ante nosotros, en sus libros de lectura, una biblioteca idiosincrática que se ha conservado a la perfección.

Grabar el poema «Salutación a Walt Whitman», escrito por una de sus creaciones (Álvaro de Campos), para el archivo sonoro me sube el ánimo. Por pura coincidencia, había leído el poema de Allen dedicado a Whitman la noche anterior, y a los bibliotecarios que custodian sus libros les encanta enterarse de esa conexión. El tiempo pasa volando y me olvido de preguntarles si tienen alguno de los sombreros de ala ancha de Pessoa, que imagino que seguirán en sus cajas originales, quizá dentro de un armario escondido, junto con un gran surtido de sobretodos que en otro tiempo utilizaba para sus paseos nocturnos clandestinos. De regreso al hotel paso por delante de una estatua de Pessoa que, a pesar de estar forjada en bronce, parece en movimiento.

En la ciudad de Pessoa es donde más permanezco, aunque no sabría decir con exactitud qué hago allí. Lisboa es una ciudad excelente para perderse. Las mañanas en las cafeterías garabateando otro cuaderno más, cada página en blanco que ofrece una vía de escape, la pluma que me obedece, fluida y constante. Duermo bien, sueño poco, sencillamente existo en un interludio ininterrumpido. Durante un paseo al atardecer un compás musical flota en la ciudad vieja, evocando la voz grave y sonora de mi padre. Sí, «Lisboa antigua», una de sus favoritas. Recuerdo que, de niña, le pregunté qué significaba el título de la canción. Me sonrió y dijo que era un secreto.

Hermanos y hermanas, suenan las campanas del ocaso. Las farolas iluminan las calles adoquinadas. Sumida en un silencio propio de Edward Hopper, sigo la ruta que recorrió Pessoa en otro tiempo, a todas horas. Un escritor de múltiples mentes, con tantos modos de ver y tantos diarios, etiquetados con tantísimos nombres distintos... Mientras pateo la pasarela de baldosas, mientras toco las paredes cubiertas de hiedra, paso por delante de un ventanal por el que veo a un caballero de pie junto a la barra, ligeramente inclinado, garabateando en un cuaderno. Lleva un abrigo marrón y un sombrero de fieltro. Intento entrar, pero no hay puerta. Lo observo desde el cristal y su cara me resulta familiar y al mismo tiempo desconocida.

—Es como tú y yo, nada más.

Ya estaba ahí otra vez el cartel luminoso, mi clarividente némesis, pero en el centro de mi soledad forzosa, no pude evitar sentirme agradecida.

—¿De verdad lo crees? —le pregunto.

*Café A Brasileira, Lisboa*

—Estoy completamente seguro —responde con tono afectuoso.

—¿Sabes una cosa? —susurro—. Tenías razón. Sí que voy a ir a Ayers Rock.

—Las suelas de tus botas ya están rojas.

No le pregunté al cartel cómo se las arreglaba mi marido en el remoto espacio que le habían asignado en el universo. No le pregunté por el destino de Sandy. Ni por el de Sam. Esas cosas están prohibidas, como suplicar a los ángeles con oraciones. Lo sé muy bien, nadie puede pedir una vida, ni dos vidas. Lo único que podemos hacer es alimentar la esperanza de una potencia creciente en el corazón de cada ser humano.

Las calles adoquinadas me condujeron a mi hogar provisional. Mi habitación es una encantadora mezcla de sencillez y detalles poco comunes. Hay una cama de madera tallada con una colcha de lino y un escritorio pequeño, con un pisapapeles que reproduce una celosía blanca y un abrecartas de marfil manchado. La escasa provisión de papel de carta, que solo llega para una misiva única, es, pese a todo, de un pergamino finamente pulido. El suelo del baño tiene un mosaico reluciente hecho con diminutos baldosines azules y blancos, como la base de un baño romano.

Me siento al escritorio y saco la vieja cámara Polaroid Land de la mochila para inspeccionar el fuelle. El libro de poemas de Allen Ginsberg está abierto por la página de «Un supermercado en California». Me lo imagino de piernas cruzadas en el suelo junto a su tocadiscos, cantando a dúo con Ma Rainey. Hablando largo y tendido de Milton y Blake y de la letra de «Eleanor Rigby». Bañando la frente de mi joven hijo, aguantando una migraña. Allen cantando, bailando, aullando. Allen en su sueño profundo con un retrato de Walt Whitman colgado encima y su gran amor, Peter Orlovsky, arrodillado junto a él, cubriéndolo con una venda de pétalos blancos.

Estoy cansada pero satisfecha, pues creo que en cierto modo he desentrañado el secreto de la ciudad. En el cajón de la mesita de noche hay un mapa de bolsillo ilustrado, una pequeña guía de la ciudad de Sabrosa, el lugar natal de Magallanes. Tengo un vago recuerdo de estar dibujando un barco que rodeaba el mundo en la mesa de la cocina. Mi padre preparaba el filtro para el café, mientras silbaba «Lisboa antigua». Todavía me parece oír las notas mezclándose con el sonido de la cafetera eléctrica. Sabrosa, suspiro. Alguien me abrocha el cinturón de seguridad. La cama de madera del rincón de la habitación parece muy lejana, y todo esto no es más que un interludio, de escasas y tiernas consecuencias.

# De vuelta del mar está el marinero

La sábana que clavé contra la pared continúa ahí, colgada como una vela sin viento. Me había olvidado por completo de ella. El estado mental que provocó las intrincadas marcas había cambiado. Y lo que es más: unas lluvias fuertes habían causado goteras en el tragaluz y ahora la sábana estaba manchada con brochazos de color óxido que parecían contener un lenguaje propio que entraba y salía durante mis esporádicas horas de sueño.

Ni rastro de luna, un cielo negro sobre mí. Cálmate, solo son las cuatro de la madrugada, me digo mientras me arrastro hasta el cuarto de baño, tan espacioso que me resulta extraño, como si se hubieran destruido dos habitaciones pequeñas para producir una anomalía innecesaria. Hay un viejo lavabo rústico, una ducha de baldosas pequeña, una obsoleta bañera de patas abarrotada de sábanas y espacio suficiente para extender una esterilla y tumbarse en las calurosas noches de verano. Apoyado contra la pared hay un espejo levemente moteado con una postal descolorida del Victoria, el segundo barco más pequeño de Magallanes, tripulado por el propio explorador.

Al no percibir rastro del sueño en el horizonte, desenrollo la esterilla y retomo un viejo juego, diseñado en origen para engañarme y conseguir dormir. Me imagino que soy un marinero en la época de los grandes barcos balleneros en medio de una travesía larga. Estamos en plena tempestad y al inexperimentado hijo del capitán se le enreda el pie en una cuerda y se cae por la borda. Sin pestañear, el marinero que soy yo salta tras él a los mares azotados por la tormenta. Los hombres arrojan muchísimas cuerdas, suben al muchacho a la cubierta en brazos del marinero y luego lo trasladan a un camarote.

Convocan al marinero al puesto de mando y lo conducen al santuario interior del capitán. Mojado y tembloroso, observa lo que le rodea con admiración. El capitán, en una rara muestra de emoción, lo abraza. Has salvado la vida de mi hijo, le dice. Dime qué puedo hacer por ti. El marinero, azorado, pide una ración entera de ron para todos y cada uno de los hombres. Hecho, responde el capitán, pero ¿y para ti? Tras dudarlo un poco, el marinero contesta: He dormido en el suelo de las galeras, en catres y en hamacas desde que era niño, hace mucho que no duermo en una cama como es debido.

El capitán, conmovido por la humildad del marinero, le ofrece su propia cama y después se retira al camarote de su hijo. El marinero se queda de pie ante el lecho vacío del capitán. Tiene almohadas de plumas y una colcha fina. Hay un enorme baúl de cuero a los pies. Se santigua, apaga las velas y sucumbe a un inusitado sueño profundo y envolvente.

Este es el juego con el que me entretengo cuando el sueño se resiste a llegar, un juego que inventé a partir de la lectura de Melville, que me lleva de la esterilla en el suelo del cuarto de baño a mi propia cama y me proporciona un agradecido descanso. Pero no estaba destinado a ser así en aquella noche notablemente húmeda. El mono travieso juega con el clima, juega con las elecciones inminentes, juega con la mente, proporcionando un sueño pobre o la ausencia total de sueño. Como si perforara mis enrevesados pensamientos, la lluvia repiquetea de

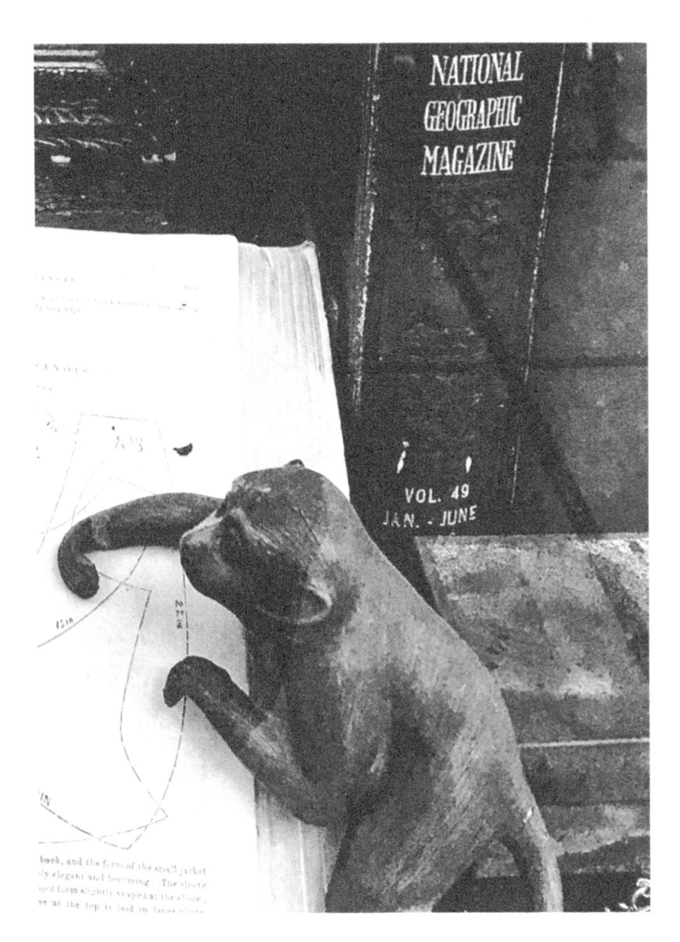


*Observa el entorno con admiración.*

repente sobre el tragaluz. Observo los hilillos rojos que se separan y se realinean, un indescifrable texto sumerio. En el armario hay un cubo, que coloco debajo de la gotera, anticipando el goteo intermitente, un ritmo bucólico a su manera.

Enciendo el pequeño televisor, con cuidado de evitar las noticias. En la pantalla, una Aurore Clément rubia susurra en francés mientras carga la cazoleta de una pipa de opio.

«Tú eres dos —dice acercándose a Martin Sheen—, uno que mata y otro que ama.»

«Tú eres dos —repite, y sale de plano—, uno camina en el mundo, otro camina en sueños.»

Entonces se levanta, se despoja del vestido y poco a poco desata las mosquiteras que enmarcan su cama. Él da una calada a la pipa, observando la silueta del cuerpo de la mujer, que se mueve detrás del pálido tul. Ella continúa desatando cada una de las telas sin prisa mientras él se aproxima, a través de la niebla de guerra cinematográfica.

Por fin noto que el sueño me vence, doy las buenas noches al marinero, al capitán Willard y a la chica francesa de la pipa de opio. Oigo a mi madre recitando un poema de Robert Louis Stevenson. «De vuelta del mar está el marinero, de vuelta del monte está el cazador.»* Veo su mano empujando un cochecito de bebé, repintando un dormitorio o alisando empapelado nuevo. Pasan los créditos y pone *Apocalypse Now Redux.* El tul se cierra a mi alrededor, la goma elástica se corta y la sangre sube apresurada por el vial, inhalando un pensamiento inacabado.

* Traducción de Javier Marías, extraída de R. L. Stevenson, *De vuelta del mar. Antología poética*, Barcelona, Penguin Clásicos, 2019. *(N. de la T.)*

CALLAS
MEDEA
Orchestra del Teatro alla Scala
Tullio Serafin

*Para Sandy*

# Imitación de un sueño

«Sandy, abre los ojos.» Escribí estas palabras en la ventana con la mano izquierda y las reseguí una y otra vez, como si creara un hechizo. Un hechizo ardiente al estilo de Artaud, un hechizo que funcionara de verdad. Sin embargo, ningún esfuerzo místico podría modificar la trayectoria de la Parca. Era el 26 de julio. Terminó el preludio, Parsifal se arrodilló ante el cisne con la herida letal y Sandy Pearlman abandonó la tierra.

Ese mismo día, vi la noticia de unos incendios incontrolados en el sur de California, el denso humo llegó nada menos que a Nevada. La Convención Demócrata atronaba con su característica mezcla exaltada de esperanza y desesperación. Solar Impulse 2, el avión propulsado con energía solar, cubrió el último trecho en su vuelta al mundo. Los dioses que Sandy había honrado enterraron la cabeza de mármol en toallas color arena. Nunca entraría en el Matrix con su amado Keanu Reeves, ni circularía por el loco mundo de Donnie Darko ni escucharía «Angel of the Morning» ni comería la tarta del diablo rebosante de chocolate. Sandy, el del corazón pensativo, capaz de componer una vasta interpretación de la historia a través de un sueño, buscaba ahora su reino de Imaginos, capitán de su propio navío encantado.

Los días de verano se extendían sin fin. Los girasoles surgían por todos los campos. En mi soledad, imaginé a unos lobos llorando. Los seguí, recorrí el perímetro helado, pasé por delante de una casita de galleta de jengibre, un pueblo entero atrapado en una placa de hielo del tamaño de la menor de las trece colonias. Una colonia a la deriva. Alcé los ojos al sol, dibujado con los trazos de una mano infantil, con todos y cada uno de los rayos bien definidos.

El 5 de agosto, el día de su cumpleaños, el del cumpleaños de mi hijo, abrí la tapa de mi escritorio y encontré el último paquete que me había enviado Sandy, que había llegado durante mis viajes y había quedado relegado, sin abrir siquiera. Con frecuencia me sorprendía, sin ningún motivo en particular, con regalos como chocolate azteca o latas de salmón rojo de Seattle, el recorrido de Georg Solti por las cuatro óperas de *El anillo de los nibelungos*. Lo metí en la maleta con algunas cosas más, agarré un paquete de medio kilo de pasta de castañas y unas cebollas tiernas y realicé el largo trayecto en metro hasta mi pequeño bungalow en Rockaway Beach. Me las vi y me las deseé para poner la combinación del cerrojo de la estropeada puerta contra ciclones, porque el salitre había atascado los números. El jardín era un campo de batalla entre el crecido llantén menor y las aplastadas florecillas de la zanahoria silvestre.

Una vez dentro, abrí de par en par las ventanas. Hacía semanas que no iba a Rockaway y la casa necesitaba un poco de ventilación. Sacudí la arena de la alfombra china y pasé la aspiradora y luego fregué el suelo de baldosas rojas con té oolong. Quería café, pero la humedad había cristalizado lo que quedaba en el tarro de Nescafé.

Al abrir el paquetito, me imaginé a Sandy escribiendo a toda prisa la dirección, precintándolo con una cantidad exagerada de cinta de embalar. Era un CD de *Grayfolded*, una grabación experimental de Grateful Dead, difícil de encontrar y muy codiciada. Me había prometido que la encontraría, y lo hizo. Feliz cumpleaños, Sandy, dije en voz alta, gracias por el regalo. Me sentí increíblemente tranquila, casi liberada. Lavé la vajilla, me preparé unos espaguetis y me senté en el porche con el plato en el regazo, desde donde contemplé el jardín en el que las persistentes digitarias habían conquistado a las hierbas aromáticas y las flores silvestres, como los colonos en las llanuras indias.

Me quedé sentada e inmóvil, no me levanté ni recogí mis herramientas, ni piqué ni arranqué malas hierbas. Me repente me sentí muerta..., no, muerta no, fue algo sobrenatural, una gratificante clase de muerte. Notaba cómo la vida corría apresurada, se oyó un avión, el mar justo delante y las notas sucesivas de «Dark Star» que se colaban por la rejilla de la puerta mosquitera. No era capaz de aunar fuerzas para moverme, así que me dejé transportar a otro lugar, mucho antes de conocer a Sandy, mucho antes de escuchar a Wagner, a otro verano en el club Electric Circus, donde una jovencita bailaba pegada a un chico igual de joven, incómodamente enamorados.

# Mariposas negras

Últimos días de agosto con Sam en Kentucky. Habíamos pasado la mayor parte de la tarde trabajando. Volví a salir casi al atardecer para darme un respiro y me vi atraída por unos movimientos extraños en el murete de piedras que rodeaba el jardín. Estaba cubierto de mariposas negras, decenas de mariposas que aleteaban frenéticas una encima de otra, iluminadas a media luz. Se oía un leve silbido, quizá fuese su canto mortal, alas oscuras como vestidos de luto. Me vino a la cabeza una fotografía que había hecho de mis hijos ya crecidos en el funeral de su abuelo Dewey. Mi hijo con un sombrero Stetson negro y mi hija con un vestido negro.

Sam levanta la vista y sonríe cuando vuelvo a entrar; retomamos el trabajo de inmediato. Una primera revisión de un manuscrito reciente. Hay varios cambios y pasajes nuevos que verbaliza para evitar el esfuerzo de escribir a mano. Hace un tiempo me dijo que lo ideal era escribir en absoluta soledad, pero la necesidad le ha hecho cambiar de procedimiento. Sam se adapta y parece haber renovado sus fuerzas ante la perspectiva de concentrarse en algo nuevo.

Su hermana Roxanne me prepara un té. Toses mucho, me dice. Sam sonríe. Hace cuarenta y cinco años que tiene esa dichosa tos. Sam, estoico, está sentado en la silla de ruedas, con las manos apoyadas en la mesa. Su vieja Gibson descansa en un rincón, una guitarra que ya no puede tocar. Y la realidad del presente se impone con fuerza: no puede aporrear las teclas de la máquina de escribir, no puede echar el lazo al ganado, no puede pelearse con sus botas de cowboy. Sin embargo, no menciono ninguna de estas cosas y Sam tampoco. Llena los silencios con la palabra escrita, buscando una perfección que únicamente él puede dictar.

Continuamos, yo leyendo y transcribiendo, Sam escribiendo en voz alta en tiempo real. El mayor reto es rescatar la soledad. La soledad requerida para escribir, la absoluta necesidad de reclamar esas horas como si se arrojaran por el espacio, igual que el astronauta en *2001*, sin morir jamás, limitándose a seguir y seguir en el reino de una película que no cesa, hacia lo infinitesimal, donde el Increíble Hombre Menguante continúa menguando y, en ese universo, es el perpetuo señor.

—Nos hemos convertido en una obra de Beckett —dice Sam de buena fe.

Nos imagino fijos en nuestro sitio, junto a la mesa de la cocina, cada uno de nosotros habitando en un barril con una tapa de hojalata, nos despertamos y asomamos la cabeza y nos sentamos ante la taza de café y la tostada con manteca de cacahuete a esperar hasta que salga el sol, elucubrando como si estuviésemos solos, no solos juntos, sino cada uno por su cuenta, sin entorpecer el aura de la soledad del otro.

—Sí, sí, una obra de Beckett —repite.

Al caer la noche, su hermana lo ayuda en lo que haga falta. Yo me acomodo en la cama improvisada, situada en un punto desde el que puedo verlo.

—¿Te encuentras bien? —me pregunta.

—Sí, estoy bien —respondo.

—Buenas noches, Patti Lee.

—Buenas noches, Sam.

Me quedo tumbada, atenta al sonido de su respiración. No hay cortinas, así que veo las siluetas de los árboles. La luna ilumina las frágiles telarañas de los rincones de la sala y el borde de su cama y la mesita baja que hay entre nosotros, abarrotada de libros, y mi pie, que asoma de la colcha que me cubre. El retrato de la noche que veo por la ventana me hace señas para que vaya. Incapaz de dormir, me levanto y salgo a tomar aire; me dedico a mirar las estrellas y escuchar los grillos y las ranas toro, bramando con todas sus fuerzas. Con ayuda de la linterna del teléfono regreso al jardín de la casa. Las mariposas negras continúan allí, inmóviles, cubriendo una parte de la repisa del murete del jardín, pero soy incapaz de decir si están muertas o solo dormidas.

*Los zapatos del escritor*

# Amuletos

Me senté en el centro de mi propio desorden. Las cajas apiladas contra la pared contenían dos décadas de fotografías Polaroid. De pronto recordé una misión prometida y emprendí la tarea de cribar entre la innumerable cantidad de imágenes, en su mayoría instantáneas de estatuas, altares y hoteles difuntos. Invertí varias horas, pero no tuve suerte y no pude localizar la foto que le había prometido a Ernest: los juegos de mesa de Roberto Bolaño. Sentí un cosquilleo de remordimiento, pero en el fondo pensé que ni siquiera tenía la más remota idea de dónde enviársela si la encontraba. «Camino en círculos. Camino en círculos.» Pensé en la letra de una canción, aunque no logré recordar cuál. «Camino en círculos», rodeada por imágenes de ciudades y calles y montañas que ya no sabía identificar, como pequeñas pruebas de un delito hace tiempo prescrito.

Separé algunas de las fotos que había tomado hacía cosa de un año. La pared trasera de On the Bridge cubierta de pósteres de *Wolf Girl*. La cafetería cuyas letras eran desproporcionadas en comparación con el interior real. Una cama deshecha, un mal ángulo de la camioneta de Ernest. Un pelícano apostado sobre el cartel del WOW Café. Una imagen movida de un brazalete con un amuleto que resbala por el salpicadero de un Lexus; uno de tantos amuletos de Cammy. Cada uno cuenta una historia, me había dicho ella.

Cammy, Ernest, Jesús y la rubia, todos ellos personajes de una realidad alternativa, recortes en blanco y negro dentro de un mundo en tecnicolor. Incluso el cartel luminoso y los vigilantes de la playa. Un mundo que en sí mismo no era nada y que, a la vez, parecía contener una respuesta para cada pregunta impronunciable en la función imposible de principios de invierno.

Reordenando las Polaroids otra vez dentro de una caja, encontré varios sobres de papel cebolla dentro de un envoltorio de papel manila. Había varias fotografías del Guggenheim de Bilbao y el vestíbulo de estilo años cincuenta del hotel de playa de Blanes. Imágenes que sin duda me habían gustado especialmente y que había guardado aparte. Los zapatos del escritor. La tumba de Virgilio. Dos tilos en la niebla. Uno tras otro, cada uno un talismán en un collar de continuos viajes. Y detrás de una imagen de una niña con el pelo moreno y rizado estaban los juegos de Bolaño. No eran gran cosa, la verdad, un simple interior de armario, pero era justo lo que andaba buscando.

Me senté en el suelo con cierta satisfacción; al fin y al cabo, la búsqueda no había sido tan infructuosa. Me fijé en la fotografía de la niña sonriente, la hija de Roberto Bolaño. Ella no había jugado con los juegos de su padre, sino que tenía juegos propios. Me imaginé varias niñas iguales que ella, dando vueltas, cantando en idiomas distintos que a la vez parecían el mismo. De pronto me sentí cansada. Permanecí donde estaba y me apoyé contra la cama, tratando de desenredarme el pelo, lleno de nudos. Me vino a la cabeza un fugaz recuerdo de estar desenredando dos cadenas de oro. Círculos dorados gemelos y rostros como amuletos que cuelgan, algunos en primer plano, otros indefinidos.

El unicornio en cautividad,
*Museo Metropolitano de Nueva York*

# En busca de Imaginos

Imaginos se acercó al sol con canciones
desconocidas e historias inacabadas.

SANDY PEARLMAN

Recorrí toda Atlantic Avenue, donde en otros tiempos había comprado henna y discos de reggae que no se encontraban en ninguna otra parte. Me detuve a revolver entre unos baúles rebosantes de disfraces tirados delante de un teatro abandonado, había túnicas de lentejuelas y faldas con abalorios que relucían al sol del veranillo de San Martín. Desenterré un delicado vestido de seda, era ancho pero aun así liviano, como si lo hubiera tejido una fábrica de disciplinadas arañas. Dejé mi cazadora encima de una caja y me puse el sedoso vestido encima de la camiseta y el peto. Seguí rebuscando y encontré un abrigo, también ligero y algo ajado. Era de los que me gustan, sin una sola costura, acribillado de agujeritos en los bajos y en las mangas. Había una goma elástica en el bolsillo derecho, enredada en hilo. Me recogí el pelo en una coleta alta y subí la rampa metálica para tomar asiento en el *Jefferson Airplane*. Me refiero al avión, no a la banda de música, pero cuando alcé la vista me di cuenta de que estaba en una furgoneta, no en un aeroplano, lo que me resultó bastante confuso. El conductor encendió la radio, un partido de béisbol interrumpido por llamadas radiofónicas en otro idioma, algo musical, quizá albano. Tomó una ruta distinta de la que le pedí e hizo caso omiso de mis indicaciones. No paraba de refunfuñar y de rascarse los gruesos brazos, y me fijé en las escamas de piel que caían en el reposabrazos de cuero sintético negro. Nos pilló un atasco en un puente, pero no era un puente normal y parecía bambolearse un poco. Me sentí más que tentada de bajar de la furgoneta y cruzarlo a pie.

Y así siguieron los días. Daba igual qué camino tomase o en qué avión me montara, aún estábamos en el año del Mono. Continuaba inmersa en un ambiente de brillo artificial con aristas corrosivas, la hiperrealidad de los polarizantes aludes de lodo preelectorales, una avalancha de toxicidad que se filtraba en todos los puestos fronterizos. Me limpiaba la mierda de los zapatos una y otra vez, no paraba de ocuparme de mis asuntos, el más importante el de estar viva, y lo hacía lo mejor posible. Aunque un insidioso insomnio se apoderaba poco a poco de mis noches y daba paso a la repetición mental de las aflicciones del mundo al amanecer. En un momento dado intenté dormir con la televisión encendida, un aparato pequeño colocado al lado derecho de mi cama. Tratando de esquivar las noticias, di con un canal a la carta y elegí episodios de *Mr Robot* al azar, que fueron sucediéndose a un volumen bajo. La monótona voz en off del *hacker* encapuchado Elliot me resultaba sedante y logré entrar en el limbo, que era casi como dormir.

A principios de octubre, Lenny y yo volamos a San Francisco para el acto en recuerdo de Sandy. Sentí una oleada de amargura irracional. Pensé que debería haberse celebrado en Ashland, con todo el ciclo de *El anillo de los nibelungos* representado al nivel del suelo, sin decorados, en un escenario circular, donde los dolientes pudieran cambiar de posición cada hora, para experimentar *El anillo* desde todos los ángulos. Sandy dejó un vacío y, con su inesperada desaparición, se esfumó su devoción por Wagner, Arthur Lee, Jim Morrison, Benjamin Britten, *Coriolano*, *Matrix* y una visión revolucionaria de Medea ideada para desmontar y luego reformular el mundo teatral. Sin familia que pudiera recordarlo, los amigos hablamos uno por uno con cariño, algunos incluso con humor, de su juventud en Stony Brook, de sus aportaciones a la tecnología musical, de sus canciones y su visionaria producción del grupo de rock Blue Öyster Cult. Alguien comentó que había sido un respetado profesor en la McGill University, especializado en la oscura convergencia entre la composición clásica y el heavy metal.

Roni Hoffman y su marido, Robert Duncan, los ángeles de la guarda de Sandy durante toda su vida, se habían encargado de un modo altruista de gestionar la complicada y al final fallida convalecencia; ambos hablaron con desgarro de décadas de amistad. Los relucientes hilos de sus reminiscencias se entrelazaron con los míos y sin querer me encontré de nuevo en un lejano viaje con Sandy a Los Claustros del Museo Metropolitano de Nueva York. En aquella época él todavía tenía el coche deportivo y quería mostrarme los magníficos tapices que componen *La caza del unicornio*, una obra canónica creada en el siglo XVI por manos anónimas en honor de una realeza desconocida. Los tapices eran inmensos, por lo menos cuatro metros de escenas pictóricas hechas con urdimbre y seda entretejida de una manera intrincada con hilos metálicos y hebras plateadas y doradas.

Sandy y yo nos detuvimos delante de *El unicornio en cautividad*. El mítico animal estaba cercado por una valla de madera rodeada de una alfombra de flores silvestres, vibrantemente vivas. Sandy, un admirable tejedor de palabras, describió los terribles acontecimientos que habían conducido a su captura, seducido y luego traicionado por la doncella.

—El unicornio —dijo Sandy con solemnidad— es una metáfora del tremendo poder del amor.

Postrado de rodillas, el unicornio resplandecía en su angustia. Hasta entonces, yo solo había visto y admirado su belleza en los libros, sin comprender su magnitud, su poder innato para despertar una creencia enterrada en la existencia de una criatura mítica.

—Este unicornio —continuó mi amigo— está tan vivo como tú y yo.

Lenny me dio un suave golpecito en el hombro y me condujo al modesto escenario. Interpretamos «Pale Blue Eyes», después una versión lenta y ceremonial de «Eight Miles High», ambas canciones muy significativas para Sandy. Lenny tocó la guitarra eléctrica con los ojos cerrados. No pude evitar sentir una desconsolada distancia, como Nico cuando toca su elegía para Lenny Bruce.

Por último, Albert Bouchard, el carismático batería de Blue Öyster Cult, se embarcó en la obra maestra de Sandy, «Astronomy», armado únicamente con una guitarra acústica: una hazaña que requería un inmenso grado de abnegación, teniendo en cuenta la ambiciosa dimensión de la pieza. Años atrás había presenciado con Sandy, ambos en trance, cómo Blue Öyster Cult tocaban esa misma canción con Albert al timón en una plaza con aforo para dieciocho mil personas. Albert, ahora en solitario, interpretó «Astronomy» con un pathos que rompió todas las barreras estoicas de los presentes, y todos acabamos llorando.

Lenny y yo volvimos a adentrarnos en la noche y paseamos por Chinatown. Pasamos por delante del mismo banco de los monos sabios que había visto cuando iba sola. Anduvimos durante lo que me pareció una eternidad, arriba y abajo por las calles de San Francisco, y nos paramos a recuperar el aliento en la esquina de Fillmore y Fell. Yo lucía las prendas que había encontrado en los baúles volcados de Atlantic Avenue. Lenny llevaba una cazadora negra que había sido de mi marido, vaqueros negros y un chaleco de cuero también negro. Me levanté la falda para atarme el cordón de la bota.

—Bonito vestido —me dijo.

La banda se nos unió dos días más tarde en el Fillmore para homenajear a Sandy. Al bajar del coche, se me acercaron dos tipos. No se parecían en nada, pero al mismo tiempo daban la impresión de ser la misma persona. El que llevaba la cabeza rapada me regaló un collar. Me lo guardé en el bolsillo de la cazadora sin mirarlo y, una vez más, subí los peldaños metálicos hasta la puerta del escenario, mientras me imaginaba a Jerry Garcia haciendo lo propio. Lenny ya estaba ahí para recibirme y abrió la pesada puerta de hierro. Me quedé un instante congelada antes de llegar a él, de pronto consciente de la repetición de todas nuestras acciones.

Esa noche, al tocar «Land of a Thousand Dances», cerré los ojos durante la parte del solo, improvisando y dejándome llevar hasta el Báltico, hasta la tierra de Medea. Recorrí a pie la extensión yerma, siguiendo las sandalias de Medea, igual que ella había seguido a Jasón. El vellón dorado relucía y cegaba a todos los que se atrevían a levantar la vista hacia él. Vi la llama en el corazón transparente de Medea y noté la sangre que hervía en sus venas. Alta sacerdotisa, pero a la vez campesina, era incapaz de congeniar con el pueblo de Jasón. Obligada a renunciar a su ser primario, se viste como un zorro para ocultar el ataque. Sus hijos pequeños duermen. Los hijos de Jasón. Ella lo amaba y él la traicionó. Observé cómo Medea alzaba el brazo blanco adornado con gruesos brazaletes. Vi cómo el vellón perdía el lustro. Vi la daga que entró en sus corazones infantiles.

La banda tocó a todo volumen, la gente estaba alborotada, estallaba de un modo espontáneo. Quizá algunos hubieran seguido el hilo tejido desde la pelliza de Jasón hasta el vellón de Medea y la terrible brujería del más allá, pero no importaba. Yo canté para Sandy, y la poesía que recité era para él. Visualicé su sonrisa radiante, esos ojos azul hielo, y por un momento sentí esa alegre arrogancia que había extendido su manto en el altar de la ópera, la mitología y el rock. Yo estaba en el lugar exacto en el que estaba él, nos quedamos quietos, notándonos el uno al otro, en el precipicio de la tragedia irreversible.

# Por qué importa Belinda Carlisle

El teléfono del hotel no paraba de sonar. Estaba en el escritorio, pero ¿en qué escritorio, en qué ciudad, en qué mes? Vale, era octubre, en Seattle, en una habitación espaciosa con vistas a un mastodóntico aparato de aire acondicionado, y me habían propuesto que diera una charla sobre la importancia de las bibliotecas. Eran las cuatro de la tarde y me había quedado dormida con el abrigo puesto. El vestido que había llevado al acto en memoria de Sandy estaba arrugado sobre el sillón. Había entrado, había soltado mis bártulos y me había quedado dormida sin más. Medio grogui, me lavé la cara y me preparé para la charla, enlazando mentalmente una sucesión de bibliotecas que había frecuentado de niña, cuando un carnet daba acceso a colecciones enteras de libros: *Los gemelos Bobbsey*, *El tío Wiggily y sus amigos*, *Freddy el detective*, todos los libros de Oz y las novelas de misterio de Nancy Drew. Recuerdos de las bibliotecas entremezclados con imágenes de mis propios libros, cientos de libros, tirados sobre la cama, apilados en el lado derecho de una escalera, amontonados en la mesa plegable de la cocina y en pilas más altas en el suelo, contra la pared.

Una vez en el vestíbulo, me sentí arrollada y transportada por un ensalmo, casi como Holly Martins en *El tercer hombre*, cuando lo arrastran desde su hotel en Viena para que dé una conferencia sobre el papel del cowboy existencial en la literatura estadounidense. Igual que Holly, me sentía increíblemente poco preparada. Al verme delante de una sala a rebosar, consideré que era mejor seguir la vía personal y hablé de la importancia de la biblioteca pública para una amante de los libros de nueve años que vivía en una comunidad rural del sur de New Jersey, un lugar desprovisto de cultura, sin una sola librería, aunque, por suerte, sí con una pequeña biblioteca a apenas tres kilómetros de su casa.

Hablé de cuánto han significado para mí los libros toda mi vida y de cómo los sábados iba a la biblioteca a elegir mis lecturas para la semana. Una mañana de finales de otoño, a pesar de las amenazadoras nubes, me abrigué bien y emprendí el camino como siempre, pasé por delante de los huertos de melocotoneros, la granja de cerdos y la pista de patinaje hasta llegar al desvío de la carretera que conducía a nuestra única biblioteca. Ver tantos libros juntos siempre me emocionaba, hileras e hileras de libros con lomos multicolores. Ese día me había entretenido hojeándolos mucho más tiempo de lo habitual y el cielo se había vuelto cada vez más ominoso. Al principio no me preocupé, porque tenía las piernas largas y corría bastante rápido, pero al cabo de un rato quedó patente que sería imposible librarme de la inminente tormenta. El frío se intensificó, los vientos se desataron, seguidos de una lluvia fuerte, y después cayó un doloroso granizo. Metí los libros debajo del abrigo para protegerlos, porque tenía un largo trecho que recorrer; me paraba en los charcos y notaba el agua helada que empapaba mis calcetines hasta el tobillo. Cuando por fin llegué a casa, mi madre negó con la cabeza en un gesto de comprensiva exasperación, me preparó un baño caliente y me mandó a la cama. Pillé bronquitis y me perdí varios días de colegio. Pero había valido la pena, porque tenía mis libros, entre ellos *The Tik-Tok Man of Oz*, *Half Magic* y *El perro de Flandes*. Libros fabulosos que releía sin cesar, a los que solo tenía acceso gracias a nuestra biblioteca. Mientras relataba esta humilde historia me fijé en varias personas del público con pañuelos, supongo que reconocían algo de esa jovencita bibliófila en ellas mismas.

A primera hora de la mañana siguiente, me levanté y tomé un café en un local llamado Ruby's. Recordaba que había comido allí con Lenny y Sandy unos años antes, después de un concierto en el Moore Theatre, el teatro más antiguo de Seattle, famoso por su decoración de inspiración egipcia. El gran Nijinsky y Anna Pávlova habían bailado en su escenario y nada menos que Sarah Bernhardt, los hermanos Marx, Ethel Barrymore y Harry Houdini habían hecho sus mejores números allí también. Al principio estaba segregado y las personas de color se veían relegadas a los asientos altos del gallinero. Esa mácula del teatro encerraba cierta ironía, ya que esos mismos asientos se veían recompensados con la mejor acústica. Fue el año en que Sandy y yo viajamos en coche a Ashland para ver *Coriolano* en el Oregon Shakespeare Festival. O, como dijo él, para presenciar la caída hasta el punto de la soberbia de lo que Shakespeare había elevado al reino de lo místico. Me terminé el desayuno y me acerqué a dejar un donativo en la hucha de la Misión Pan de Vida. Un tipo sin techo con un abrigo largo de color gris y un pasamontañas morado garabateaba un mensaje en una pared de ladrillo con un trozo grueso de tiza rosa. Le dejé un billete de cinco en la taza que tenía junto a la cama improvisada de cartones aplastados, luego observé sus dedos hasta que, poco a poco, fueron emergiendo las palabras: «Belinda Carlisle importa».

—¿Por qué? —le pregunté—. ¿Por qué importa Belinda Carlisle?

Se me quedó mirando un rato larguísimo que se convirtió en otro rato todavía más largo, hasta remontarse al momento en el que las ciudades no eran más que meras colinas. Apartó la mirada de mi cara y se observó el hombro, luego bajó la vista hacia sus propios pies y, por fin, miró hacia arriba y respondió en voz baja:

—Tiene ritmo.

Ese fue un auténtico momento Sandy. De haber estado allí conmigo, sin duda habría declarado que eso era una verdadera revelación. Yo me limité a sonreír y me encogí de hombros. No negaba que tuviera razón, pero tampoco le di más vueltas al comentario hasta varios días después, ya de regreso en Nueva York, cuando, incapaz de dormir, iba cambiando de canal y aterricé en un publirreportaje musical. Creo que era una de esas ofertas en las que venden veintidós CD de los años ochenta, o tal vez fuera un recopilatorio de bandas solo femeninas, pero el caso es que allí en la televisión aparecieron The Go-Go's tocando «We Got the Beat» en no sé qué festival de música pop inglés. Todas las chicas lo hacían muy bien, pero la que de verdad tenía ritmo era Belinda, nada ostentoso, una especie de *Beach Blanket Bingo* con un swing moderno y una pizca de *Paradis* francés, con mallas y tacones altos. Sí, Belinda, dije en voz alta, tienes ritmo.

Su exuberancia era contagiosa. Me imaginé una soberbia pacífica que se extendía por todo el país, como los chicos de *West Side Story* que se van animando alentados por el cabecilla, mientras cantan «When you're a Jet...». Cientos de miles de chicas y chicos inundando los perímetros abiertos, imitando los movimientos de Belinda Carlisle, entonando «We Got the Beat». Y soldados que apartan las armas y marineros que dejan sus puestos y ladrones que abandonan las escenas de sus delitos y de repente estamos inmersos en el epicentro de un grandioso musical. Sin poder, sin raza, sin religión, sin disculpas. Y mientras ese ambicioso espectáculo galopaba por mi cabeza, una parte de mí dio un salto y zigzagueó por la calle hasta entrar en la escena, uniéndose al coro que aumentaba *ad infinitum*, como los ángeles de William Blake saliendo a raudales de las páginas abiertas del libro de la vida.

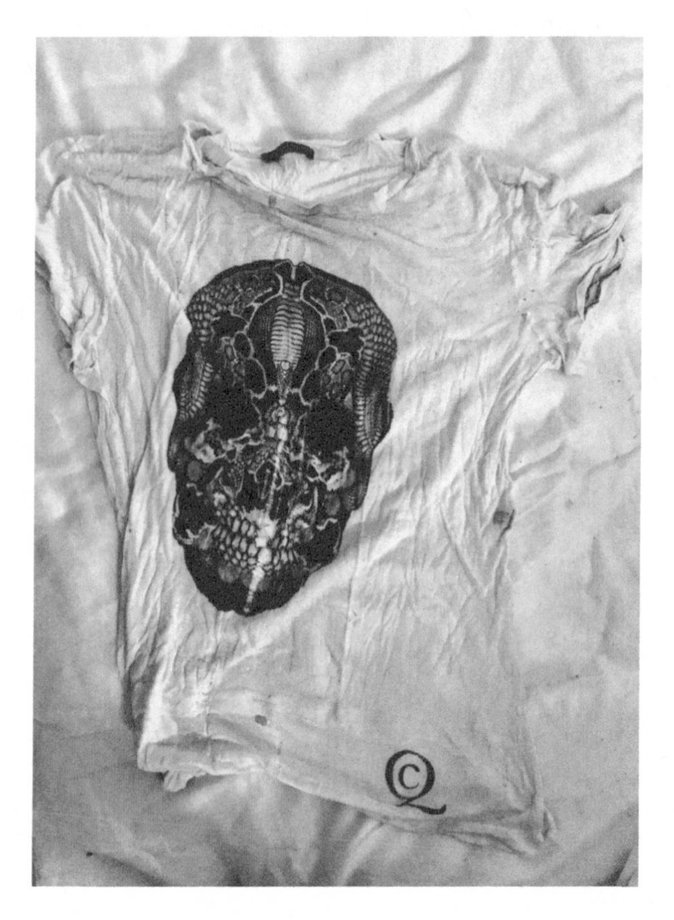

*Era el día de los Muertos.*

# Los santos ven

Era el día de los Muertos. Las callejuelas estaban decoradas con calaveras de azúcar y en el ambiente se respiraba una especie de locura rancia. Me daba mala espina lo de celebrar las elecciones durante el año del Mono. No te preocupes, decía todo el mundo, manda la mayoría. No tanto, contraatacaba yo, mandan los silenciosos, y serán ellos los que decidan, mandarán los que no voten. ¿Y quién puede culparlos cuando es todo un montón de mentiras, una elección podrida rebozada en porquería? Millones tirados por un agujero lleno de plasma, gastados en interminables y polémicos anuncios de televisión. Un verdadero oscurecimiento de los días. Todos los recursos que podrían utilizarse para rascar el plomo de las paredes de escuelas que se derrumban, para dar cobijo a los sintecho o para limpiar un río pestilente. En lugar de eso, un candidato a la desesperada tira el dinero a paladas dentro de un pozo y el otro construye edificios vacíos en su propio nombre, otra clase de desperdicio inmoral. A pesar de eso, pese a todos los recelos, voté.

La noche de las elecciones me uní a un encuentro de buenos camaradas y vimos cómo un culebrón horroroso titulado «elecciones estadounidenses» se desplegaba en una televisión de pantalla gigante. Uno por uno, todos te marcharon trastabillando a encontrarse con el amanecer. El bravucón bramó. Mandó el silencio. El 24 por ciento de la población había elegido lo peor de nosotros mismos para que representara al otro 76 por ciento. Salve, nuestra apatía americana; salve, la retorcida sabiduría del Sistema Electoral.

Incapaz de dormir, me dirigí a Hell's Kitchen. Unos cuantos bares seguían abiertos, o es que nunca cerraban, y nadie había barrido ni limpiado las mesas con el fin de prepararlas para un nuevo día. Tal vez querían negar que era un nuevo día o sencillamente querían limitar su desarrollo. Todavía es ayer, gritaban los desperdicios, todavía queda alguna oportunidad en el infierno. Pedí un trago de vodka y un vaso de agua. Tuve que quitar los cubitos de hielo a mis dos bebidas y los tiré en un plato de galletitas rancias. La radio estaba encendida, una radio de verdad, en la que Billie Holiday cantaba «Strange Fruit». Su voz, una voz de sufrimiento lacónico, provocaba escalofríos de admiración y vergüenza. Me la imaginé sentada junto a la barra, con una gardenia en el pelo y un chihuahua en el regazo. Me la imaginé durmiendo con una falda blanca arrugada y una blusa durante una gira en un autobús de gasoil, después de que le denegaran la entrada en un hotel sureño para blancos a pesar de ser Billie Holiday, a pesar de ser sencillamente un ser humano.

El ventilador de techo estaba cubierto de polvo. Observé cómo daba vueltas, o mejor dicho, observé el movimiento de su giro. Creo que en un momento dado hice un gesto con la cabeza, pues había pillado al vuelo el final de otra canción pasajera. «New York, I love you, but you're bringing me down.» Colinas cubiertas de pinos, huevos matutinos en una cesta.

—¿Otra copa?

—No me gusta mucho beber —contesté—. Prefiero un café solo.

—¿Quiere leche?

La camarera era guapa, pero del labio le colgaba un pellejito. No podía evitar mirarlo. En mi mente se volvió más grande y más pesado, luego se desprendió y cayó en un plato imaginario de caldo humeante que se había ensanchado, hasta formar una piscina burbujeante, de la que emergió una imitación de la vida. Sacudí la cabeza. Las cosas que nos hacen entrar en trance pueden ser muy azarosas. Desde luego, había llegado el momento de ponerse en marcha; sin embargo, una hora más tarde continuaba allí. No tenía hambre ni sed, pero pensé que quizá debía pedir algo más para justificar que llevaba más de una hora sentada en el mismo sitio, aunque no parecía importarle a nadie, quizá la misma parálisis postelectoral nos embargaba a todos.

Pasaron los días, y lo hecho, hecho estaba. Pasado el día de Acción de Gracias y con la Nochebuena al acecho, deambulé por las calles de tiendas al ritmo de un susurro interior: «No me compréis nada. No me compréis nada». El sentimiento de culpa mojó las partículas secas de la derrota; ¿cómo había acabado todo tan mal? Otro caso de protesta social desequilibrada. Noche silenciosa, silenciosa. Fusiles de asalto envueltos en papel de aluminio apilados debajo de árboles artificiales decorados con diminutos becerros de oro, objetivos dispuestos en la parte posterior de los patios cubiertos de nieve.

Pleno invierno y, aun así, la temperatura apenas había bajado. Al cruzar Houston Street, me percaté de que en el pesebre que había delante de la iglesia de St. Anthony faltaba el niño Jesús. No había pájaros apoyados en los hombros de san Francisco. Las doncellas de escayola con cofias blancas preparaban un festín vacío. Jamás me había sentido tan hambrienta, jamás tan vieja. Subí con paso firme la escalera hasta mi habitación mientras recitaba para mis adentros: «Una vez tuve siete, pronto tendré setenta». Estaba agotada de verdad. «Una vez tuve siete», repetí, sentada en el borde de la cama, todavía con el abrigo puesto.

Nuestra rabia controlada nos da alas, la posibilidad de negociar con los engranajes para que giren hacia atrás, uniendo todos los tiempos. Arreglamos un reloj, optimizamos la capacidad innata de retroceder en el tiempo, por ejemplo, hasta el siglo XIV, marcado por la aparición del rebaño de Giotto. Tocan las campanas del Renacimiento, mientras un cortejo fúnebre sigue el ataúd que contiene el cuerpo de Rafael, luego vuelven a tañer mientras el último golpe de cincel revela el cuerpo lechoso de Cristo.

Todos van a donde van, igual que yo fui a donde fui, y me encontré en un rincón sombrío, apestando a huevo y a aceite de linaza en el taller de los hermanos Van Eyck. Allí vi un agua en movimiento creada con tanta exactitud que era capaz de provocar sed. Fui testigo de la precisión del hermano más joven mientras rozaba con las cerdas del pincel de marta cibelina la herida húmeda del Cordero Místico. Salí a toda prisa por miedo a chocar con él y continué mi acelerado viaje hasta los albores del siglo XX, planeé sobre los verdes campos de la prosperidad rural, moteados por las cruces que conmemoraban a los hijos asesinados en la Gran Guerra. No se trataba de sueños intangibles, sino del frenesí de las horas vivas. Y en esas horas fluidas presencié cosas asombrosas hasta que, cuando me flaquearon las fuerzas, describí un círculo por encima de una callecita formada por antiguas casas de ladrillo y elegí el tejado de una que tenía un tragaluz polvoriento. El pestillo estaba abierto. Me quité la gorra y sacudí parte del polvo de mármol. Lo siento, dije, alzando la vista hacia un puñado de estrellas, el tiempo se agota y no hay conejo posible capaz de atraparlo. Lo siento, repetí, mientras bajaba la escalera, consciente de dónde había estado.

Día 30 de diciembre. Dejé atrás mi setenta cumpleaños y llegué al final del año, cubierta hasta los tobillos de confeti. Susurré «Feliz Año Nuevo» a mis botas, tan viajadas, igual que había hecho exactamente un año antes. Justo un año desde el día en que había entrado en el Dream Motel, en el que algunas cosas resultaron inciertas y un cartel luminoso predijo que yo viajaría a Uluru. Justo un año desde el día en que Sandy Pearlman todavía estaba vivo y consciente. Justo un año desde el día en que Sam todavía era capaz de preparar café y escribir de su puño y letra.

*Sin rastro de hipérbole.*

# El Cordero Místico

Viajé con una sencillez casi religiosa hasta un lugar del que nunca había oído hablar, una ciudad próxima a Santa Ana, en la parte oeste, donde Sam había ido a pasar el invierno. Una ciudad en la que, según me dijo, jamás paraba de llover. Ven, me ordenó con cariño, y así, sin más, metí en la mochila el chubasquero, una camisa de franela, unos cuantos calcetines y un libro pequeño, pero profusamente ilustrado, sobre el retablo del altar de Gante. En el avión, intenté no pensar en cómo estaban las cosas, rehuí los pensamientos desagradables. Hubo algunas turbulencias, pero no me importó, no era más que un tiempo revuelto que no presagiaba ninguna intención personal. Abrí el librillo y me concentré en el majestuoso retablo, una de mis obsesiones preferidas desde hacía tiempo.

El magnífico políptico fue pintado sobre roble en el siglo XV por los hermanos flamencos Hubert y Jan van Eyck. Llevaron a cabo el conjunto de la obra con una expresividad tan dúctil que ha sido venerada por todos los que la han contemplado y, en opinión de muchos, es un conducto hacia el Espíritu Santo. Igual que los arcángeles habían sido instrumentos divinos, una encarnación física de una llamada telefónica con Dios. La Virgen María recibió esa llamada, plasmada en el panel exterior de la Anunciación, ese anuncio de la Encarnación por parte del ángel Gabriel; es fácil imaginar el ardiente entramado de miedo y exaltación que emanó de esa única transmisión. La Virgen se arrodilla dentro de un vacío caleidoscópico ornamentado con sus palabras invertidas, pintadas en oro bruñido. No es una hoja estridente, sino una hoja flamenca, aplicada por unas incomparables manos flamencas. En una ocasión, toqué la superficie del panel exterior y me embargó la admiración, no en el sentido de reverencia religiosa, sino hacia los artistas que lo habían llevado a cabo; percibí su espíritu turbulento y su magistral calma y concentración.

La Virgen María aparece retratada otra vez, con un semblante más sereno, encima del panel central del interior, donde ocupa su lugar a la izquierda del Hijo de Dios. Unas palabras cubren el doble halo que se curva alrededor de su cabeza, ligeramente inclinada, e indican que ella es el espejo inmaculado de la Divina Majestad. Pese a todos los elogios, muestra una sencillez auténtica, la naturaleza dulcificada y digna de la Virgen de los Dolores.

Debajo está la cruz del retablo, *La Adoración del Cordero Místico*, del que en su época se decía que era capaz de inducir el éxtasis. Un misterio sagrado hecho visible a través de una obra de arte. El Cordero, triunfante pero estoico, que acepta todo el sufrimiento del mundo, se alza sobre el altar mientras la sangre del costado gotea dentro del Grial, de acuerdo con la profecía. La sed cesará de ser sed y las heridas cesarán de ser heridas, aunque no de la forma esperada.

¿Qué será de nosotros?, me pregunté al cerrar el libro. Por nosotros me refiero a Estados Unidos, por nosotros me refiero a la humanidad en general. La mirada en los ojos del cordero parecía infatigable, pero ¿es posible que la sangre de la benevolencia no sea infinita, sino que deje de fluir algún día? Imaginé la primavera marchita, la sequía del pozo del samaritano, una inquietante confluencia de estrellas.

Sentí un leve palpitar en las sientes. Noté que tenía la manga manchada por haber rozado la paleta del pintor cuyo pincel había dado la pincelada final a la oscura herida del Cordero. ¿Había ocurrido de verdad? Era incapaz de recordar un rostro, pero sé que yo había llorado, aunque sin la sal de las lágrimas. Recuerdo estar allí de pie hacía apenas unos días, boquiabierta hasta verme cruelmente arrancada del tiempo de *La Adoración* y arrojada al reino del ahora. La mancha, reconocí, mientras contemplaba el cielo occidental, era por lo menos tan real como el recuerdo.

«En el fondo, ¿qué es real? —había preguntado Sam no hacía mucho—. ¿Es real el tiempo? ¿Son estas manos muertas más reales que las manos de los sueños que trazan una línea o giran el volante? ¿Quién sabe lo que es real, eh? ¿Quién lo sabe?»

En San Francisco tomé el puente aéreo hasta Santa Ana. Roxanne, la hermana de Sam, me recogió en el aeropuerto. Su alegre disposición fue un alivio bienvenido, porque el color gris cubría todo el cielo y llovía, tal como había dicho Sam. Nos detuvimos delante de una casa de listones blancos. Subí los peldaños y vi a Sam a través de la puerta mosquitera antes de que él me viera a mí. Se parecía más que nunca a Samuel Beckett, y aun así albergué la esperanza de no estar destinada a envejecer sin él.

Nos pusimos a trabajar en la reducida cocina. Dormí en el sofá. Desde allí oía la incesante lluvia repiquetear contra la marquesina que protegía el porche. Estábamos a un mundo de distancia de Kentucky, el terreno y los caballos de Sam. Lejos de todo lo que era suyo. Nuestros días se centraban en su manuscrito, destinado a ser el último, una carta de amor nada senti-

mental a la vida. De vez en cuando, nuestras miradas se encontraban. Sin máscaras, sin distancias, solo el presente; el trabajo era lo principal y nosotros, sus siervos. Al caer la noche, lo aparcábamos y los tres nos enfrascábamos con alegría en el ritual de bajar la silla de ruedas, salvar los peldaños del porche y dar un paseo por la ciudad hasta una cafetería donde servían chocolate a la taza al estilo mexicano. Yo andaba ligeramente retrasada en la llovizna, y experimentaba la mareante sensación de los días pasados, en los que me colgaba del brazo de Sam y juntos pateábamos las calles de Greenwich Village.

El silencio que rodeaba la casita me sacaba de quicio. No había ni un alma cuando salíamos a dar nuestros paseos nocturnos. Me odiaba a mí misma por sentir esa inquietud. Sam también la sentía, pero me entendía; él había nacido inquieto. Me metí en el coche con Roxanne. Nos alejamos de la casa de listones blancos, del enrejado cubierto de hiedra y de la regadera de tamaño desproporcionado. Le prometí que me mantendría en contacto. «La sed cesará de ser sed y las heridas cesarán de ser heridas.» Cuando ya estábamos cerca del aeropuerto de Santa Ana, eché un vistazo al móvil. No había ningún mensaje de los ángeles, ninguna llamada, ni un simple timbrazo.

*Somos las espinas vivas.*

# El Gallo de Fuego

La víspera de la Investidura había cuarto menguante. Traté de pasar por alto la opresión que sentía en la garganta, una sensación de pánico creciente. Ojalá pudiera dormir hasta que todo hubiera pasado, pensé, el tipo de sueño de Rip van Winkle. Por la mañana, fui a un spa coreano en la calle Treinta y dos y estuve sentada en su sauna de infrarrojos casi una hora. Me quedé ahí, tosiendo con un montículo de pañuelos pegajosos al lado, y pensé en Hermann Broch ideando el esquema de *La muerte de Virgilio* mientras estaba confinado en la cárcel. Pensé en la tumba de Virgilio en Nápoles y en que en realidad no estaba allí, pues sus cenizas se habían perdido en misteriosas circunstancias allá por la Edad Media. Pensé en las palabras de Thomas Paine: «Estos tiempos ponen a prueba el alma de los hombres». Paró de llover, pero el viento persistió. Y lo que era verdad continuó siendo verdad. Era el último día del año del Mono y el gallito de fuego cacareaba, porque el intolerable timador de un rubio artificial había tomado juramento, sobre la Biblia nada menos, y Moisés y Jesucristo y Buda y Mahoma parecían estar en un lugar completamente distinto.

A la noche siguiente sonaron los gongs y muchos dragones que lanzaban llamas de papel recorrieron las calles de Chinatown como enormes juguetes de arrastre. Era el 28 de enero. El gallo del año nuevo había llegado, una cosa horrenda con el pecho abultado y plumas del color del sol. «Demasiado tarde, demasiado tarde, demasiado tarde», cacareaba. Terminó el año del Mono y el Gallo de Fuego, que esperaba entre bambalinas, hizo su entrada triunfal. Me salté el desfile del año lunar, pero vi los fuegos artificiales desde la entrada de mi casa. Se me ocurrió que había presenciado los márgenes de las celebraciones tanto en la Costa Este como en la Oeste, el alfa y el omega el año del Mono y, al mismo tiempo, no había participado en ninguna de ellas. Quizá no fuera tan sorprendente, salvo por la cercanía, pues incluso de niña me había costado entregarme de corazón a semejantes festividades, ya que en realidad aborrecía el zumbido del desfile anual de Acción de Gracias con sus carrozas y sus bandas de música o la exaltación maníaca de la gente en el desfile de los mimos. En mi fuero interno, siempre me sentía desplazada por completo en medio de los remolinos de juerguistas, como Baptiste cuando se ve inmerso a la fuerza en las agonías del histérico carnaval al final de *Los niños del paraíso*.

A pesar de todo, unos días más tarde me encontré de nuevo en Chinatown, en una farmacia de confianza, consultando a un viejo herbolario chino que me había hecho unas infusiones sanadoras tiempo atrás. El cuerpo es un centro reactivo, me dijo, reflexionando sobre mis síntomas y malestar general. Todas estas aflicciones son reacciones a estímulos externos, productos químicos, el tiempo, la comida que ingerimos. Todo es cuestión de equilibrio, el sistema se está recalibrando, nada más. Al final, todo desaparecerá, ya sea una alergia o un resfriado. Hay que mantener la serenidad y no enfrentarse a esas reacciones con demasiada energía. Me dio tres paquetes de té. Uno era dorado, otro rojo y el tercero color salvia. Me los guardé en el bolsillo y salí de nuevo al frío; me di cuenta de que los indicios de la celebración casi habían desaparecido, apenas quedaban restos de farolillos de papel, pedacitos de confeti, un mono de plástico abandonado en un palo roto.

Anduve hasta el final de Mott Street y bajé la escalera de Wo Hop para encontrarme con Lenny y tomarnos un arroz *congee*. En los años setenta, un cuenco de arroz con pato *congee* costaba noventa centavos. Wo Hop siempre ha estado abierto, bullicioso, sirviendo *congee* hasta las cuatro de la mañana. En aquella época todos comíamos allí, a menudo durante la madrugada del Año Nuevo, muchos de nosotros sin blanca, muchos que ahora están muertos. Lenny y yo nos comimos el *congee* y bebimos té oolong en una gratitud silenciosa, aún vivos; habíamos nacido con tres días de diferencia, ambos teníamos ya setenta y el pelo canoso, inclinándose ante el destino. No hablamos de la Investidura, pero se respiraba en el pesado ambiente, conforme los corazones ansiosos se fundían con otros corazones ansiosos.

Esa noche bebí el té dorado y no tosí durante las horas de sueño. Soñé con una larga fila de migrantes que recorrían a pie el mundo de un extremo al otro, mucho más allá de las ruinas de lo que en otro tiempo había sido su hogar. Caminaban por desiertos y llanuras yermas y humedales asfixiantes, en los que unos lazos anchos de algas incomestibles, más brillantes que el cielo de Persia, se les enredaban en los tobillos. Caminaban arrastrando sus pancartas, vestidos con la tela de las lamentaciones, en busca de la mano tendida de la humanidad, del cobijo donde no se les ofrecía nada. Caminaban donde la riqueza quedaba encerrada en las obras de maestría arquitectónica, pedruscos inmensos que contenían cabañas modernas ocultas con ingenio por la densa vegetación autóctona. El aire era seco y, sin embargo, todas las puertas, ventanas y pozos estaban herméticamente sellados como si anticiparan su llegada. Y soñé que todas sus penurias se retransmitían en pantallas globales, en tabletas personales y en relojes de muñeca inteligentes, hasta convertirse en una popular forma de entretenimiento basado en la realidad. Todos observaban con apatía cómo los migrantes pisaban una tierra despiadada, la esperanza sangraba convertida en desolación. No obstante, todos suspiraban emocionados ante el florecimiento del arte. Los músicos se despertaban de su sopor y componían emotivas obras de sufrimiento sinfónico. La escultura surgía como si saliera de la tierra recorrida. Los musculosos bailarines reproducían los tormentos de los exiliados, cubrían a la carrera inmensos escenarios, como superados por la futilidad nómada. Todos observaban, cautivados, mientras el mundo, en su tenaz sinsentido, seguía girando. Y soñé que el mono se encaramaba sobre el mundo, esta bola de espejos de confusión, y se ponía a bailar. Y en mi sueño llovía a cántaros, como un acto de descorazonada venganza, aunque sin tener en cuenta el tiempo salí de casa sin chubasquero y anduve hasta Times Square. La gente se estaba congregando delante de una pantalla mastodóntica para ver la Investidura y un joven, nada menos que el mismo que había alertado al pueblo de que el emperador iba desnudo, gritó: ¡Mirad! ¡Ha vuelto! ¡Lo habéis dejado salir del saco! Lo que siguió a las celebraciones fue otro episodio de la recreación de los juicios a los migrantes. Barcos de madera con líneas doradas yacían abandonados en las aguas poco profundas. Una fantasmagórica mascota dorada bajó, chillando y aleteando con sus monstruosas alas. Los bailarines se retorcían agónicos mientras la alambrada de la compasión les pinchaba en los pies. Los espectadores se apretaban las manos en una furia empática, aunque eso no era nada comparado con lo que vivían quienes recorrían la tierra a pie, los animales del sacrificio de todo el orbe, trazando palabras en la arena que se lleva el viento. Retratadnos si es preciso, pero somos las espinas vivas, los perforados y los que perforan. Y me desperté y lo hecho, hecho estaba. La cadena humana seguía en movimiento y sus voces jugaban con el aire como una nube de insectos devastadores. Es imposible acercarse a la verdad, ni añadir ni quitar, porque no hay nadie en la tierra equiparable al verdadero pastor y nada hay en el cielo equiparable al sufrimiento de la vida real.

*Intenté llamarte, me dijo.*

# Una noche en la luna

Era un bar-cafetería de tercera clase. Con eso quiero decir que tenía un grado de anonimato que a la par camuflaba y exponía los cuestionables tejemanejes que sucedían. No había lugar alguno en el que esconderse entre sus paredes incoloras, pero al mismo tiempo, pocas personas cruzaban la puerta, un local de aspecto anodino en una callejuela justo al final de la pasarela de madera. Pobres diablos, corredores de apuestas y asiduos, los últimos vestigios de una era que solo un poli sucio podría reconocer.

Repasé el panorama al entrar. Las mismas mesas desperdigadas, el suelo de linóleo con motas amarillas, unos cuantos cubículos. Ya había estado allí en otra ocasión, unas dos décadas antes, en los tiempos en que servían los mejores huevos con jamón y le ponían auténtico jamón de Virginia. La mesa de billar había desaparecido, pero por lo demás, la sala era igual de sombría, desprovista de decoración, a menos que contase como tal el calendario con estampas de montaña. Un lugar en el que meterse en los propios asuntos constituía una religión menor.

El tipo más próximo a la puerta estaba encorvado, concentrado en mirar su taza, como si tratase de descifrar una oscura profecía que emanase de sus posos. Junto a él había un cenicero lleno de colillas, el bodegón perfecto. Dos tíos del fondo hablaban en voz baja, tan pegados el uno al otro que las cabezas de ambos se tocaban por encima de la mesa.

Me quedé junto a la barra y esperé a que me sirvieran. Había una fotografía descolorida de Manolete, el torero, en un marco de madera dorada, con capullos de rosa de seda pegados en las esquinas. Me apetecía un café, pero me vi forzada a pedir un trago. Apuré de un sorbo el vodka, preguntándome cómo encajaba yo en semejante panda de desgraciados. Quizá fuera como un vagabundo, no acomodado pero tampoco hundido, quizá como alguien que había perdido el barco o por lo menos alguna oportunidad brillante.

—¿Qué tipo de vodka es este?

—¿Y quién quiere saberlo?

—Bueno, está aguado, pero el condenado entra muy bien.

El camarero fingió ofenderse.

—Kauffman. Es ruso.

—Kauffman —repetí. Luego lo apunté en una libreta pequeña de tapa flexible que llevaba en el bolsillo de los pantalones.

—Sí, pero aquí no se encuentra.

—Pero está aquí —dije.

—Sí, pero aquí no se encuentra.

Suspiré y lo dejé correr. ¿Era todo un sueño? ¿Acaso todo lo ocurrido había sido un sueño? Empezando por el Dream Motel y pasando por todas las maldades inducidas por el mono. Seguía inmersa en esa elucubración circular cuando percibí que no estaba sola. Eché un vistazo rápido al bar y entonces lo vi. No me había fijado en él al entrar, pero estaba justo ahí, ya lo creo, sentado en la penumbra, junto a una mesa del rincón, sacando papelitos doblados de la cartera. Hacía bastante que no pensaba en él, no desde que me había dejado tirada en un paisaje casi bíblico en su vacuidad. Estaba decidida a lograr que me mirara a los ojos, pero lo cierto es que miraba a través de mí. «Nos conocimos en el WOW —dije mentalmente—. Bueno, en realidad no llegamos a presentarnos de manera formal. Yo estaba sentada a la misma mesa y me limité a meterme en la conversación, la de *2666*, en la que acabasteis hablando de las razas caninas de San Petersburgo.» Ernest no hizo ademán de recibir el mensaje, así que me acerqué a él y me senté. Empezó a hablar como si retomase una conversación dejada a medias, dijo no sé qué sobre la escena con la que empieza *Apocalypse Now*.

—Martin Sheen borracho como una cuba, un acto de auténtico valor, el acto más valiente de toda la película, asombrado de que lo hayan conseguido. El espejo roto y toda la sangre. No sangre de película. Sangre de Martin Sheen.

Entonces se levantó y fue al baño. Yo me acerqué a la barra y pedí otro trago. No me gusta mucho beber, pero supuse que un vodka aguado, y más si era vodka bueno, no me haría daño, ni siquiera a media tarde. Señalé con la mano hacia donde antes estaba sentado Ernest.

—¿Sabes qué bebía?

—¿Y quién quiere saberlo? —contestó el camarero.

Sin embargo, puso una botella de tequila bastante oscura delante de mí. Le pedí que esperase unos minutos, y que luego llevara la botella a la mesa y le ofreciera una copa a Ernest cortesía de la casa. Dejé dinero en la barra para pagar esa copa y en ese momento entró una mujer con la caja de una peluca y ropa de la tintorería. Cruzó una puerta que había detrás de la barra. Los tipos que tenían las cabezas casi pegadas no se habían movido ni un centímetro. De hecho, nadie se movió, nadie reaccionó ante ella, ni ante mí. Dos mujeres que invadían un mundo de hombres de tercera categoría.

Regresé a la mesa de Ernest. Nos quedamos un rato sentados en un silencio incómodo.

—Me pregunto qué opinaría Joseph Conrad de *Apocalypse Now* —dije, sobre todo para romper el hielo.

—Es un rumor —contestó—. No hay nada de cierto en eso.

—¿Nada de cierto en qué?

—En lo de que sea una repetición de *El corazón de las tinieblas*.

—Bueno, vale, no llega a tanto, pero sí que estaba inspirada en él. Incluso Coppola lo dijo. Y en eso reside la mitad de su belleza, en el modo en que Coppola transformó un clásico en un clásico moderno.

—Un clásico del siglo XX, ni siquiera es tan moderno ya... —De repente se inclinó hacia mí—. ¿Quién tenía el corazón más negro, Brando o Sheen?

—Sheen —respondí sin dudarlo.

—¿Por qué?

—Aun con todo, quería vivir.

El camarero nos trajo la botella y le puso un vaso de chupito delante de Ernest. Sírvete uno, invita la casa, le dijo. Ernest lo llenó a rebosar. Lo ameran con agua, me dijo, y se lo bebió bastante rápido.

—Todo sale del corazón. El corazón borracho. ¿Alguna vez has estado borracha? ¿Ebria de verdad? Me refiero a pasarte días borracha, perdida en el romance de todo lo decadente, inmersa en la espiral de la absurdidad.

Eso me dijo mientras se servía otro tequila. Se me ocurrió que nunca lo había visto beber nada salvo café. Aunque claro, lo conocía muy poco. No sabía su apellido, por ejemplo. Pero algunas veces es así. Conoces a un imperfecto desconocido mejor que a cualquier otra persona. Sin apellidos, sin fechas de nacimiento, sin país de origen. Solo los ojos. Los tics extraños. Leves indicadores de un estado mental.

—Va a construir el maldito muro —decía— y el dinero saldrá de los bolsillos de los pobres. Las cosas cambian a una velocidad que nunca soñamos. Hablaremos de la guerra nuclear, ya verás. Los pesticidas serán un grupo alimenticio. Adiós al canto de los pájaros, adiós a las flores silvestres. No habrá nada salvo colmenas que se derrumbarán y filas de ricos listos para subir a bordo de una nave espacial y pasar una noche en la luna.

Entonces se quedó callado. Ambos lo hicimos. Ernest tenía aspecto cansado, los estragos de la vida parecían más pronunciados que apenas un año antes. Noté la amarga tristeza que daba la impresión de impregnar la sala. Se elevaba como un gas asfixiante, y los escasos parroquianos desperdigados levantaron la vista como si hubieran oído el llanto de un niño.

—He venido por Tangier Island —murmuró refiriéndose a la pequeña isla perteneciente a Virginia.

Me incorporé, escribí «Tangier Island» en mi libreta y me la guardé en el bolsillo de los pantalones. Ernest movió levemente la cabeza, pero no dio muestras de que quisiera que me quedara. Vi un centavo en el suelo y me agaché a recogerlo. Mientras salía tuve el presentimiento de que, si volvía a entrar, aunque fuese solo un instante después, todo se vería alterado. De repente sería en tecnicolor, con la nueva camarera al mando, luciendo su peluca, maquillada de arriba abajo, con vestido de tintorería.

Tras salir del local, me senté en un banco cercano. Me pregunté qué haría Ernest en Virginia Beach. Lo poco que sabía de él me hacía pensar en alguna clase de misión. Aunque, claro, él podía estar preguntándose lo mismo sobre mí. Yo había ido en un arrebato, nostalgia pura. Un autobús hasta Richmond solo para contemplar el río James, donde una vez estuve con mi hermano Todd hablando de Edgar Allan Poe y Roberto Clemente, su jugador de béisbol favorito. Todd se parecía a Paul Newman. Los mismos ojos azul hielo. La misma seguridad discreta. Podías contar con él para lo que fuera. Cualquier cosa salvo seguir vivo.

Unos cuantos rezagados más, un tipo paseando el perro, una anciana china con zuecos de madera y calcetines gruesos que iba con su nieto, que sujetaba una pelota roja gigante. El rojo de la pelota parecía solarizado. Una gran bola de sangre plateada. El niño llevaba una chaqueta fina, pero no parecía tener frío; el viento se ensañaba más sobre el agua y se calmaba al llegar a la pasarela del paseo marítimo.

Me pregunté si estaba esperando a que Ernest saliera del local, aunque con toda probabilidad ya se habría marchado. Parecía abatido. No emanaba la misma fuerza agitada que cuando nos conocimos en el WOW. Algo se había desplomado y algo lo había traído hasta aquí. Otra conspiración, tal vez, algo relacionado con Tangier Island. Lo vi salir del bar trastabillando. Me sentí impelida a seguirlo mientras recorría la pasarela, aunque me pareció demasiado teatral. Lo observé unos minutos, pero entonces, distraída por una gaviota que bajó en picado, me perdí el momento en que giró y no vi hacia dónde se encaminó. Perdida la oportunidad, se me ocurrió echar un vistazo en busca de una habitación. Llevaba mucho efectivo encima, la tarjeta de crédito, la libreta y un cepillo de dientes. A lo lejos, un chiquillo en bicicleta se acercó a mi banco y se apeó.

—Disculpe —me dijo—. Un tipo llamado Ernest me ha dicho que le diera esto.

Me tendió una bolsa de comida de papel de estraza.

Levanté la mirada y sonreí.

—¿Dónde está? —pregunté.

—No lo sé, me ha pedido que le diera esto, nada más.

—Gracias —dije mientras intentaba pescar un dólar del bolsillo.

Me habría gustado hacerle algunas preguntas más, pero el chico subió de un salto a la bicicleta y continuó su camino. Miré cómo se hacía cada vez más pequeño, perdiéndose en el horizonte, igual que uno de aquellos barcos de Magallanes. Con un suspiro, abrí la bolsa de papel y saqué un libro de bolsillo desgastado, la traducción al inglés de «La parte de los críticos» de Bolaño, con montones de notas obsesivas en español. Pasé las páginas hasta llegar a los sueños relacionados con el agua, donde aparecía la línea en blanco que había mencionado la rubia de anuncio, la Liz Norton de nuestro grupo. Al leerlo sentí impaciencia por volver a una gran ciudad. Una ciudad despiadada. De edificios bajos. Ciudad de México en 1949. Miami en 1980. Noté los dedos insidiosos del recuerdo hurgando entre los matorrales como la mano desmembrada del pianista que con vida propia intenta agarrar la garganta de Peter Lorre en *La bestia con cinco dedos*. Era una de las películas favoritas de mi hermano Todd y pensar en ella desencadenó escenas improvisadas, otras imágenes de vida. Todd sonriendo al sol en el terrenito en el que construiría una casa para su mujer y su hija. Todd inclinado sobre una mesa de billar con un cigarrillo en los labios. Cruzando Pensilvania en una camioneta sin calefacción, con nubes de vaho que se formaban mientras cantábamos a dúo canciones viejas de la radio. «My Hero.» «Butterfly.» «I Sold My Heart to the Junkman.» Ahora no, dije, y sacudí el recuerdo. Luego abrí el libro y empecé por el principio. Los críticos parecían más vivos que los peatones que veía y de repente el mar ya no era el mar, sino un telón de fondo para las palabras, algunas de las mejores secuencias de palabras que se hayan formado en el siglo XXI.

Cuando levanté la vista el tiempo había volado, como si tuviera un avión particular. Ernest estaba de pie a pocos pasos de mí. Parecía tener un control total de sí mismo, en absoluto ebrio. Me acerqué a él, en parte aliviada pero, a la vez, con pocas ganas de hablar por hablar sin llegar a ninguna parte.

—No soy más que una escritora —dije con hastío—, nada más.

—No soy más que un mexicano que cree en la verdad.

Lo miré de arriba abajo. Se azoró un poco y luego se rio.

—De acuerdo. Mi padre era ruso, pero no vivió mucho.

—¿Tu padre también se llamaba Ernest?

—No, pero era tan serio como yo.

Sonreí, aunque sentí una punzada de melancolía. Un fogonazo de una cartera, una mano que extraía una fotografía de una mujer con un vestido oscuro de flores junto a un niño con pantalones cortos y muy bien peinado. Los ojos de Ernest indicaron que sabía qué estaba viendo yo.

—¿Por qué Tangier Island? —pregunté al fin.

—Desde que el huracán *Ernesto* azotó la isla, se está desvaneciendo en el mar. Tengo que hacer las paces.

Me percaté del movimiento de las nubes. Lluvia, pensé.

—¿Sabes una cosa?, en una placa de madera de una de las estructuras más antiguas construidas en Estados Unidos hay un dicho grabado en inglés antiguo: «Esto es Tangier Island. Igual que ella se va, nosotros también».

—¿De verdad la has visto? —le pregunté.

—Las cosas así no se ven. Se sienten, como ocurre con todo lo importante; llegan sin más, se cuelan en tus sueños. Por ejemplo —añadió con picardía—, ahora estás soñando.

Me di la vuelta. Seguíamos delante del mismo bar-cafetería de tercera clase.

—¿Lo ves? —dijo con una voz que me recordó vagamente a otra.

—Eres el cartel luminoso del Dream Motel —espeté de pronto.

—Se llama Dream Inn —respondió antes de esfumarse.

# ESPECIE DE EPÍLOGO

Primero murió Mohamed Alí, luego Sandy y Castro y la princesa Leia y su madre. Ocurrieron cosas durísimas, que engendraron otras aún más terribles, y luego fue el futuro el que llegó y se marchó, y aquí estamos, viendo todavía la misma película humana, una larga cadena de privaciones que se ofrecen en tiempo real en unas gigantescas pantallas perpetuas. Las injusticias sobrecogedoras constituyen la nueva experiencia vital. El año del Mono. La muerte del último rinoceronte blanco. La desolación de Puerto Rico. La masacre de escolares. Las denigrantes palabras y acciones contra nuestros inmigrantes. La huérfana Franja de Gaza. ¿Y qué hay de la existencia al alcance de la mano? ¿Qué hay del escritor estoico que tenía una miniatura del mundo en la palma de su mano tatuada? ¿Qué será de él? Me lo había preguntado muchas veces, yendo y viniendo de Kentucky. Cuando escribí estas palabras por primera vez, no lo sabía aún, y sería fácil adelantar o rebobinar, pero el tiempo tiene la costumbre de avanzar sin descanso, de esfumarse con su tictac; ocurren cosas nuevas que nadie puede alterar, a un ritmo que no puede igualarse. Sam y yo solíamos reírnos de esa falta de sincronía: escribes en el tiempo y entonces el tiempo se esfuma y, en tu afán de seguirle el paso, te ves escribiendo un libro totalmente distinto, como Pollock cuando perdía el contacto con un cuadro y hacía otro cuadro radicalmente distinto y luego perdía el hilo de los dos y, en un ataque de ira, aporreaba paredes de cristal. Te diré una cosa, la última vez que vi a Sam, su manuscrito estaba terminado. Estaba ahí, en la mesa de la cocina, como un pequeño monolito que contenía lo incontenible, un brillante titileo que no podía apagarse. ¿Por qué pájaros?, escribió Sam. ¿Por qué pájaros?, se hizo eco su hermana. Su canción flotaba desde un radiocasete medio enterrado en la arena. ¿Por qué pájaros?, sollozó el anciano. Y movieron las alas, retomaron su formación rota y al final desaparecieron. ¿Qué sería del escritor? La respuesta está encerrada ahora en un epílogo que no iba a ser un epílogo, pero que se ha convertido en uno, ya que lo único que podemos hacer es intentar seguir el ritmo mientras Hermes corre ante nosotros con sus tobillos cincelados. ¿Cómo exponemos esto, si no es contando la verdad? Sam Shepard no podría subir físicamente los peldaños de una pirámide maya ni ascender por el lomo arqueado de una montaña sagrada. En lugar de eso, se deslizaría con pericia en el gran sueño, igual que los niños de la ciudad muerta extienden láminas de papel encerado sobre los montículos de cadáveres que se apresuran hacia el paraíso. Se llega más rápido si te deslizas colina abajo sobre papel encerado, cualquier niño lo sabe. Esto es lo que yo sé. Sam está muerto. Mi hermano está muerto. Mi madre está muerta. Mi padre está muerto. Mi marido está muerto. Mi gato está muerto. Y mi perro, que murió en 1957, continúa muerto. Aun así, no dejo de pensar que algo maravilloso está a punto de suceder. Quizá mañana. Un mañana que seguirá a una sucesión de mañanas. Sin embargo, si volvemos al momento presente, que en realidad ya se ha esfumado, yo estaba sola en Virginia Beach, abandonada de pronto, aferrada a la bolsa. La bolsa de papel de estraza que contenía el ejemplar usado de «La parte de los críticos» en inglés. Me quedé allí tratando de asimilar la absurda verdad de la frase graciosa pronunciada por Ernest. Venga, tú, le dije al espejo, uno que se había caído de un neceser de maquillaje y cuyo borde dorado se estaba pelando, uno que era fácil conjurar. Vamos, dije a un ojo, y luego al otro ojo, el que se desvía, concéntrate. Tienes que hacerte una composición de la escena completa. El espejo se me resbaló de la mano y, cuando cayó al suelo, oí la voz de Sandy diciéndome: «Esquirlas de amor, Patti, esquirlas de amor». Y entonces eché a andar en dirección contraria, por el trecho más largo de la pasarela. Nadie sabe qué va a ocurrir, pensaba, en realidad no. Pero al mismo tiempo, ¿y si alguien pudiera observar el futuro con un telescopio? ¿Y si ahí, en los tablones del paseo, hubiera un visor que se proyectara más allá de todo 2017, hasta el siguiente año del Perro? ¿Qué cosas podrían verse? ¿Qué giros espectaculares y terribles de la cuerda dorada se producirían aquí y allá, desde el alfa hasta el omega? Unas cuantas muescas, unos cuantos millones de muescas. La muerte del escritor la transfiguración de un amigo los ojos moteados de Jesucristo las llamas que aprisionan el sur de California el derrumbamiento del estadio Silverdome y hombres cayendo como piezas de ajedrez talladas a partir del peso de siglos de indiscreciones y la masacre de los feligreses y las armas y las armas y las armas y las armas. Y allí, una tarde de invierno, allí en el mapa en que las tres grandes fes se movieron a la par por el mercado, donde David conquistó, donde Jesús caminó, donde Mahoma ascendió. Mirad con vergüenza cómo se aparta a los peregrinos, se preparan las tropas y quién sabe cuándo tirarán la primera piedra. La capital neutral elegida para ser la nueva fortaleza capitalista. ¿Se secará el olivo? ¿Temblarán las montañas? ¿Acaso los niños del futuro no probarán jamás la dulzura de la fraternidad? Seguí andando, parecía que la pasarela no tuviera principio ni final. Sabía que debía haber un telescopio de cobre montado en alguna parte, sobre los tablones, y estaba decidida a encontrarlo, bueno, no sería exactamente un telescopio, sino un instrumento para «ver más allá», allí en medio del paseo marítimo. De esos en los que metes una moneda para contemplar las islas que no quedan al alcance pero casi, unas islas ocupadas por caballos salvajes; por ejemplo, Cumberland Island o incluso Tangier Island. Tenía los bolsillos rebosantes de monedas, así que monté campamento y me concentré, primero en un buque de carga, después en una estrella, y luego rehíce todo el camino hasta volver a la Tierra. De verdad pude ver la bola del mundo. Estaba en el espacio y podía verlo todo, como si el dios de la ciencia me dejase otear por su lente personal. La Tierra giratoria se me fue revelando poco a poco en alta definición. Vi cada una de las venas que eran también ríos. Vi el ondulante aire de la enfermedad, el mar profundo y frío y el gran arrecife decolorado de Queensland y rayas manta incrustadas que se hundían y organismos inertes flotando y el movimiento de ponis salvajes galopando por las marismas dejando atrás las islas de la costa de Georgia y los restos de sementales en los cementerios de Dakota del Norte y una manada de ciervos de color azafrán y las grandes dunas del lago Michigan con nombres sagrados indios. Vi el centro que no se sustentaba y, según había descrito Ernest, un islote como el ombligo de una naranja que boqueaba para respirar y una tortuga gigante y un zorro a la carrera y varios mosquetes viejos oxidándose entre la hierba crecida. Había ancianos que trepaban por las rocas y tumbados al sol con las manos juntas. Había chiquillos pisoteando las flores silvestres. Y vi los días antiguos. Oí el tañido de las campanas y vi guirnaldas arrojadas al aire y mujeres que daban vueltas y había abejas que representaban su baile del ciclo de la vida y había vientos fuertes y lunas henchidas y pirámides medio desmoronadas y coyotes que aullaban y olas cada vez más altas y todo olía como el final y el principio de la libertad. Y vi a los amigos que ya no estaban y a mi marido y a mi hermano. Vi a los considerados padres verdaderos ascender colinas distantes y vi a mi madre con los niños que había perdido, enteros de nuevo. Y me vi a mí misma con Sam en su cocina de Kentucky y hablábamos del acto de escribir. A fin de cuentas, me decía, todo es forraje para una historia, lo que significa, supongo, que todos nosotros también somos forraje. Yo estaba sentada en una silla de madera de respaldo recto. Él estaba de pie, mirándome desde arriba, como siempre. «Papa Was a Rolling Stone» sonaba en la radio, que era marrón y tosca, parecía de los años cuarenta. Y pensé, mientras él alargaba el brazo para apartarme con la mano el pelo que se me había metido en los ojos, el problema de soñar es que al final nos despertamos.

SANTA CRUZ
Dream
Inn

# EPÍLOGO DE UN EPÍLOGO

Se lo suplico a todos. Templen el miedo con la razón, el pánico con la paciencia y la incertidumbre con la educación.

ABDU SHARKAWY

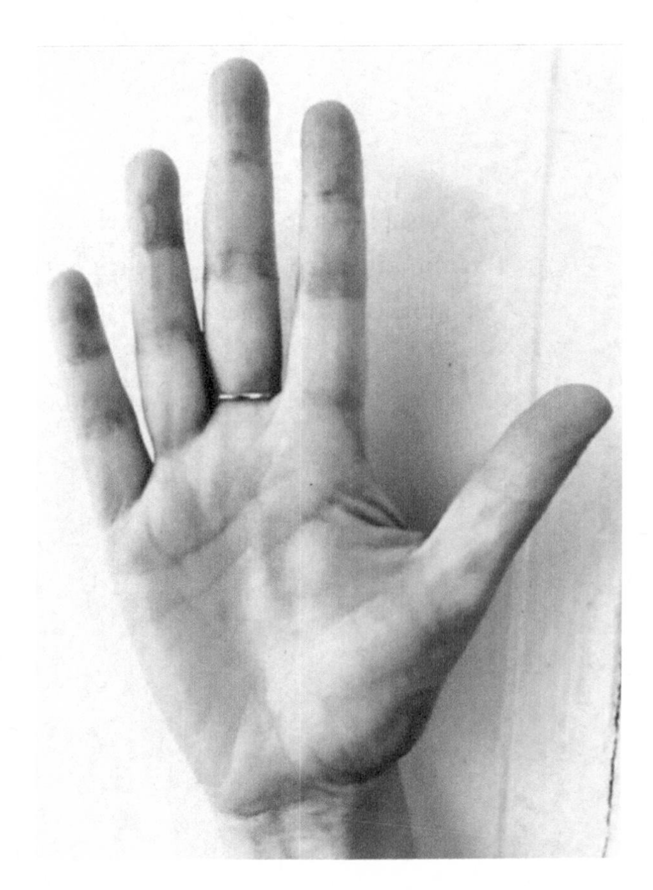

*Está en nuestras manos.*

*Hace ya tiempo que terminó el año del Mono, y hemos entrado en una nueva década, que de momento se ha desarrollado con retos crecientes y una náusea sistémica, aunque no necesariamente inducida por la enfermedad o el movimiento. Se trata más bien de una náusea psíquica, que nos vemos obligados a paliar por cualquier medio que tengamos a nuestro alcance. Aunque el nuevo año albergaba mensajes de esperanza, su progresión ha hecho que nuestras preocupaciones personales y globales queden eclipsadas por una profunda falta de juicio.*

*Recibimos 2020 mientras nuestro centro moral constitucional es rediseñado de una forma cada vez más inmoral, gobernado por quienes afirman que se amparan en los valores cristianos pero dejan de lado la esencia del cristianismo: amarse los unos a los otros. Vuelven la cabeza ante el sufrimiento mientras siguen por propia voluntad a alguien que carece de una respuesta auténtica ante la menguante condición humana. Confiaba en que nuestra nueva década nos proporcionara un escenario más tolerante, imaginaba la apertura de unos paneles ceremoniales, como los laterales de los grandes trípticos de los altares abiertos en las fiestas de guardar, que revelarían 2020 como el año de la visión perfecta. Tal vez esas expectativas fuesen ingenuas, pero aseguro que las sentía de todo corazón, igual que siento la angustia de la injusticia, un borrón oscuro que no se irá jamás.*

*¿Dónde está la luminosidad? ¿Dónde está la justicia prudente?, nos preguntamos, labrando nuestra tierra con un arado mental, sobrecargados con la tarea de mantenernos en equilibrio en estos tiempos tan desequilibrados.*

*Era una auténtica rata de metal.*

# Un panel para el año de la Rata

Hay un dicho en los cánones de la astrología lunar según el cual el Mono necesita de la Rata. No estoy segura de en qué medida, aunque hay quien dice que las ratas son capaces de alegrar a los monos cuando se sienten deprimidos, porque cuando están juntos, el ambiente se llena de risas. Por supuesto, no solo nos referimos a las especies animales en sí, sino a ciertas cualidades inherentes de las personas nacidas en el año de su augurio. En cualquier caso, en este preciso momento estamos entrando en el año lunar de la Rata de Metal, que se celebrará por todo lo alto en nuestras grandes ciudades, sobre todo en las que cuentan con magníficos *chinatowns*, con impresionantes despliegues de fuegos artificiales, bailes de leones sagrados, confeti y serpentinas multicolores cayendo del cielo. Festejos que culminarán con un desfile el 10 de febrero, coincidiendo con la luna llena, con carrozas y dragones y símbolos del nombre del año que empieza. En un abstracto gesto de generosidad, me zambullo en una caja de discos viejos y desentierro *Hot Rats*, de Frank Zappa. La chica de la portada, que asoma de una piscina vacía, es miss Christine, una frágil belleza victoriana del grupo Girls Together Outrageously, también conocido como The GTO's.

*Hot Rats* salió a finales de 1969. En aquella época yo vivía con Robert Mapplethorpe en el Chelsea Hotel y solíamos hablar con ella en el vestíbulo. Era un ser etéreo, con una melena incluso más indomable que la mía y la piel como el melocotón. En algún momento a principios de 1970, miss Christine me pidió que me uniera a su revolucionaria banda de rock, y aunque aquella no era mi verdadera vocación, me sentí halagada. Cuando le di la mano para sellar el trato, tuve la impresión de que estaba ante una delicada ave de presa. De eso hace más de medio siglo, algo de lo que cuesta hacerse a la idea, porque todavía puedo visualizarla con sus grandes ojos y la voz suave, con la cabeza ladeada, la hija guapa de un pirata que no llegó a cumplir los veintitrés. Saludo con la cabeza a la joven protegida de Zappa, saco el vinilo de la funda de plástico y lo examino con sumo cuidado, para descubrir que está cubierto de diminutas rayadas, como huellas de patas de una colonia de ratas dando vueltas.

Un tocadiscos gira de forma natural a través del tiempo. Dejo la carátula del disco encima del escritorio, ocultando momentáneamente una lámina pequeña de una ilustración de Tenniel en la que aparece Alicia conversando con el Dodo. Apoyado junto a la lámina hay un regalo de cumpleaños de un amigo muy querido, una rata de cristal erguida bañada en oro a la que he llamado Ratty. Presidirá mi habitación como un talismán lunar. Así es como funciona; nos dirigimos a la Rata de Metal que se yergue con un optimismo sin límites, pues cada año nuevo comienza con su criatura lunar asignada, con su particular armadura y su personalidad característica, así como con la creencia integral de que las cosas no tardarán en mejorar.

*Miss Christine saliendo de la piscina, fotografiada por Andee Eye.*

# Panel de la festividad

«Las cosas no tardarán en mejorar.» Eso fue lo que escribí hace unos días en previsión de las celebraciones que iban a tener lugar en todo el mundo; el ambiente ya estaba cargado con la expectación de lo nuevo. La Rata de Metal es el primer signo del ciclo de doce animales en la astrología china, sin duda alguna un momento para la renovación y el optimismo. Pero, por desgracia, un giro inesperado, la amenaza repentina de una pandemia global ha enmarcado la entrada de la Rata de Metal, y ha minado los ánimos, hasta el punto de aguarle la fiesta al desfile. Con China a punto de confinarse por completo, me pregunté cómo se celebraría el Año Nuevo chino en nuestras propias calles y fui con Lenny Kaye a Chinatown, con la esperanza de atisbar los restos de la celebración de bienvenida al año, con su tradicional cúmulo de basura resplandeciente y tal vez unas cuantas ratas coloridas en palos engalanados con serpentinas rojas y doradas, por no hablar de la sensación general de júbilo. Esas eran nuestras infantiles expectativas, esperábamos ver calles abarrotadas, dudábamos de si encontraríamos aparcamiento, pero, por sorprendente que parezca, abundaban las plazas libres. Nos sentamos en el Silk Route Café y compartimos una tetera de té de arroz integral, antes de dar un paseo en busca de indicios de la acción.

Aunque aún era media tarde, las calles estaban tan desiertas que resultaban fantasmales, apenas se veían algunos peatones. Los restaurantes, salvo por nuestro querido Wo Hop, estaban vacíos, y cada vez sentíamos más urgencia por hallar algún atisbo de la primera ronda de festejos. Supongo que habíamos llegado demasiado tarde para una fiesta y demasiado pronto para otra.

Al final de Mott Street hay unos desgreñados restos de espumillón multicolor y pequeños montículos de confeti. ¿Dónde están las vaporosas estelas de los dragones dorados que ondean entre deseos que, cuando la luz capta en un ángulo concreto, sin duda se cumplen? En China, las cosas se han torcido para los juerguistas que se habían preparado para la mayor fiesta del año. En una rápida operación, Pekín ha cancelado las celebraciones a gran escala, incluso los templos se vacían conforme el letal coronavirus se extiende con insidia. Así ha quedado el heraldo de la pobre Rata de Metal, atrapada en la cuarentena junto con varios millones de personas más. Un virus que amplía la histeria mientras la enfermedad se embarca desde Wuhan hasta los puertos vecinos y provoca prohibiciones de desplazamiento y el cierre de fronteras. Justo donde habíamos aparcado vi una mascarilla protectora arrugada. En un esfuerzo por evitar el contagio, muchos se ponen esas mascarillas desechables. Algunos se ponen una encima de otra. «He dibujado una rata en la mía —dice un ciudadano desafiante—. Y aunque nos veamos privados de nuestra unión lunar, lo celebraré por mi cuenta con bengalas por la noche.» Pues a pesar de los decretos que prohíben las festividades, la gente encuentra maneras de exteriorizar sus jubilosas tradiciones. Patalean con un fervor propio de Brueghel y se aferran a la certeza de que el mundo no dejará de girar, y de que el año nuevo lunar siempre estará ahí mientras exista la luna; reinará, se esfumará, regresará.

*Catedral de San Nicolás*

# Un panel dedicado a sí mismo

De acuerdo, las cosas se han torcido, así que ¿cómo consigue una seguir adelante y, a pesar de las tristes noticias, conectar con la rata de metal y celebrar su llegada? Este es el contradictorio curso de un paseo contemplativo por las atribuladas calles de la ciudad. En las calles más pequeñas de los pueblos se ven obras por todas partes, una infatigable remodelación, jardines comunitarios excavados para preparar anexos modernos, escombros y contenedores por doquier. Todo este caos está haciendo que nuestras ratas abandonen sus hogares subterráneos. En realidad, las ratas, aunque en cierto modo escondidas, siempre han estado ahí, pero últimamente, debido a la despiadada demolición de preciados bloques enteros, nos encontramos con que necesitamos con urgencia al Flautista de Hamelín. En mi paseo vespertino las veo en colonias nocturnas, corriendo por las pasarelas de andamios, destrozando bolsas de basura hasta hacerlas añicos, esparciendo los restos de nuestros excesivos desperdicios por los caminos, y atrayendo a sus hermanos y hermanas menos agresivos. Toda esta preocupación por las ratas me incita a echar un vistazo a la novela *Exterminador*, de William Burroughs. Pero no tardo en percatarme de que el protagonista no sigue la pista de las ratas, sino de unos insectos inmensos de estilo kafkiano.

Esa misma noche soñé que William aparecía por detrás de una cortina de terciopelo gastada y me decía con mucho énfasis: «Investiga lo de Denton». Yo no tenía la menor idea de a qué se refería, pero asentí y salí de mi sueño para ir a desayunar. Hay misterios que resolver y hay misterios que se resuelven solos. Y en algún caso, la pista definitiva se nos revela mientras dormimos, aunque los sueños pueden ser engañosos, estar llenos de distracciones interesantes pero confusas, caminos que no son caminos.

Dando vueltas sin cesar en aquel laberinto mental, me fijé en que en el calendario ponía 5 de febrero. El cumpleaños de William. Decidí leer algo suyo, así que desenterré unas galeradas corregidas de *Queer*. Fui a una cafetería del barrio, pedí un café y releí la introducción, una muestra conmovedora de literatura confesional. Me detuve en la parte en la que William revelaba que lo que lo convirtió en escritor fue el disparo accidental a su esposa Joan. La lectura de ese texto fluyó lentamente hasta convertirse en un exceso de recuerdos; de pronto sentí el aguijón de la separación, eché de menos su alentador calor, incluso desde una gran distancia.

De repente, William hizo una digresión y se puso a hablar de la conexión espiritual que sintió con el escritor Denton Welch mientras escribía la novela *El lugar de los caminos muertos*. Me quedé perpleja. «Investiga lo de Denton», me había dicho en sueños. Sin perder ni un segundo, me documenté para averiguar si Welch era una persona real, y resulta que sí: era un novelista inglés nacido en Shanghái que había muerto en 1948, cuando tenía treinta y tres años, casualmente el día de mi segundo cumpleaños. Tuve la sensación de que William no se limitaba a proponerme una lista de lecturas recomendadas en los límites de un sueño. Seguro que había algo más. William había canalizado a Denton mientras escribía, había infundido su energía en su propia obra, de una forma totalmente personal. Mantuvimos muchas conversaciones acerca de esta clase de conexión y del fantasmagórico paisaje por el que nos desplazamos a diario pero que no mencionamos en voz alta. Me gustaría pensar que William quería recordarme que nunca estamos solos. Del mismo modo que Denton estaba con William, había alguien ahí fuera que estaba conmigo, espoleándome hacia una red de posibilidades, transformadas en miles de pequeñas corrientes eléctricas que se unían. Lo tienes delante de las narices, me decía con su voz grave y tenue, cambia el cilindro.

Sí, William, susurro, imaginando un chaleco metálico, ligero como un pañuelo de papel, que proporciona un ápice de armadura moral. Al fin y al cabo, estamos en el año de la Rata, una superviviente tenaz, y mientras proyectamos con cautela el destino del año que vendrá, debemos imbuirnos de las mejores cualidades de la resiliente rata, mantener el entusiasmo para ser productivos, el coraje para enfrentarnos a nuestros adversarios y la voluntad para enderezar las cosas.

*Su cara humanoide.*

# El panel barnizado de la salida global

Una vez más, me despierto antes del amanecer, quizá porque percibo la luna de nieve creciente. Pero no hay nieve, solo una lluvia interminable, y aunque técnicamente es de noche, no hay noche, el cielo está nublado y parece que la luna se haya caído, presionando su superficie lechosa contra las cuatro hojas de cristal polvoriento de mi tragaluz. Siento una tristeza opresiva; me levanto, me pongo una chaqueta y camino hasta la esquina. Las ratas se desperdigan, una alarma ulula en la distancia y pasa un único coche. Las temperaturas de febrero suben y bajan como el temperamento de las dos Reinas gemelas en el mundo del tablero de ajedrez del País de las Maravillas. Una lluvia excesivamente cálida para la estación confunde a los insectos y a los pájaros. No hay ninguna cafetería abierta a estas horas, así que regreso a mi cuarto y también me siento nublada. La lluvia golpea contra los cristales del tragaluz. Tormentas de abril en febrero. La luna está llena pero no se ve, fundida en un denso sistema de nubes nocturnas. El gato llora. Quiere comer, pese a que solo son las cinco de la madrugada. Concilio el sueño de nuevo y me pregunto por qué al menos un millar de gorriones descendieron de los árboles cercanos y se reunieron en un campo en el que un amigo jugaba con su perro. Los pájaros se agruparon y aterrizaron alrededor de ambos, impertérritos ante su presencia y ante los incesantes ladridos del perro. No sé cómo, me desplacé a otro paisaje y me encontré en un inmenso campo de molinos de viento. De esos modernos de metal que parecen parientes del esbelto y hermoso aunque tan calumniado Concord. Caminé por el barro y crucé humedales para acercarme a ellos hasta que por fin fui capaz de tocar la base de uno, y sentí un gran alivio, casi como me sentí en Uluru cuando apreté la mano contra la piel roja de Ayers Rock. Sin embargo, durante todo el sueño pensaba que tenía que ir a alguna parte, que llegaba tarde y no podía detenerme.

En el periódico del domingo había un artículo sobre una exposición de Jan van Eyck: «Una revolución óptica», centrada en el escaso cuerpo existente de su obra, con los importantes paneles del altar de Gante y casi un centenar de obras maestras correspondientes al final de la Edad Media. Durante un breve lapso, el recién restaurado *La adoración del Cordero Místico*, la pieza central del altar, podía contemplarse en la sala en la que se encuentra, en la catedral de San Bavón. Contuve la respiración. El impresionante libro de W. H. James Weale sobre los hermanos Van Eyck, *Hubert and Jan van Eyck: Their Life and Work*, está en mi mesa de trabajo. Es pura literatura detectivesca, que detalla cualquier pista, por pequeña que sea, sobre la existencia laboral de esos esquivos hermanos. He pensado tanto en ellos que una vez me encontré dentro de su reino, y tan próxima a su obra que regresé a mi mundo con una manchita de pintura en la manga. Esta forma de teletransporte mental era otro tema predilecto de William y de Brion Gysin, coautor de *La tercera mente*, y solíamos especular sobre sus inagotables posibilidades.

De repente, parece que *El Cordero Místico* ha entrado en la conciencia pública. Los nueve paneles restaurados del altar se reunirán en primavera, apresados, por motivos de conservación, detrás de un muro de cristal en una sección nueva de la catedral. Siento una afinidad envidiosa con los restauradores, con sus escalpelos y sus microlupas, y experimento un contacto íntimo con la manualidad del artista. Me pregunto si, tan absortos en su tarea, también se teletransportaron sin querer al estudio de los pintores, espiaron su proceso creativo, incluso tuvieron oportunidad de presenciar la entrada de un bendito cordero para que los Van Eyck pudieran observarlo en directo.

Es la expresión contenida de dicho cordero lo que más ha captado la atención del público, pues al rascar siglos de pintura superpuesta, los restauradores han dejado al descubierto su verdadero rostro. Imaginen el asombro de extraer el último velo lechoso de barniz descolorido para revelar una cara nueva por completo que nos devuelve la mirada, con una expresión decididamente humanoide. En un momento de desesperación extática, se apodera de mí el deseo de verlo con mis propios ojos. Miro el calendario y descubro que, a pesar de mis numerosas obligaciones, tengo una franja libre de cinco días seguidos, suficiente para hacer el viaje. Por desgracia, no puedo transportarme como el rayo hasta Gante igual que el capitán Picard cuando aparece en la superficie del planeta Vashti, pero sí puedo actuar a la velocidad del rayo. Cambio todas mis millas de viaje por un billete de avión a Bruselas, preparo un equipaje ligero, pido a alguien que se encargue de dar de comer al gato y contrato a un taxi que me lleve hasta Gante. Y sin más, aunque afectada durante un momento por un temblor ajeno a mí, me pongo en marcha de nuevo.

*No se puede pedir más.*

# El panel de las pequeñas pruebas

En un control aleatorio de seguridad, eligieron mi maleta para registrarla en el aeropuerto. Tengo la impresión de que siempre me eligen de forma aleatoria, pero me guardo el comentario sarcástico y mantengo cierto sentido del humor, segura de que la armadura de la rata de metal me rescatará. Al otro lado del océano, el taxista que había contratado me estaba esperando al aterrizar. Hablaba un inglés perfecto y me describió sin parar sus múltiples iniciativas empresariales, entre ellas haber fundado una pequeña empresa de caramelos especializada en gominolas.

—No osos, sino coches —me dice con orgullo—, algo totalmente nuevo. Pruebe uno —insiste, y me ofrece una bolsita de diminutos coches de gominola de colores, como piedras preciosas, con la forma de un Volkswagen escarabajo.

—Bélgica es un país interesante —le digo mientras nos acercamos a Gante—. Parece albergar muchos secretos.

—Y sin embargo, no tenemos gobierno —responde con amargura—. Nuestra democracia está siendo dejada de lado.

Al pensar en el desmantelamiento de la de mi país, me quedo callada. Me coloco mi armadura invisible y juro que durante unos días nada romperá el corazón de esta viajera. Día de San Valentín en Gante. Una misión de tres días para empaparme de todo lo relacionado con Van Eyck, con la esperanza de disolver la continua fatiga con la que he tenido que bregar desde hace un tiempo. Nos despedimos delante de mi hotel, situado a menos de un kilómetro de San Bavón, donde mora el Cordero Místico.

La sala del desayuno es luminosa y acogedora. Tomo un café solo, unas salchichas blancas pequeñas, ciruelas y pan integral. A continuación, tras consultar un mapa dibujado a mano, salgo a la calle.

Cruzo el puente y me detengo ante el arcángel Miguel, apostado en lo alto como una veleta de un guerrero. Estuve en este mismo lugar hace una década con mi hermana Linda, contemplando el panorama de catedrales mientras ella, cautivada por la luz, hacía fotos al agua. Me acompañó a Gante en la época en que trabajé con el cineasta Jem Cohen. Entre una obligación y otra, nos apresuramos a ir a ver el altar, pero entramos en San Bavón cuando estaba a punto de cerrar. Recuerdo que estaba tan oscuro que no se distinguía el Cordero Místico, pero había unas cuantas bombillas pequeñas que iluminaban los paneles exteriores. Rodeé el altar y toqué su pesado marco de roble. Mientras mi hermana montaba guardia, hice una Polaroid con la escasa luz del panel que muestra a la joven Virgen María de la Anunciación. Me guardé a toda prisa la Polaroid prohibida en el bolsillo y salí en cierto modo transformada, como una pequeña ladrona de tiempo con un secreto glorioso.

La fuerte conexión que experimenté en aquel breve encuentro no fue algo religioso, sino más bien una sensación física del artista. Noté el aura de su concentración y la mirada afilada de sus ojos prismáticos. Prometí que algún día volvería, pero nunca lo hice. En lugar de eso, me zambullí en los libros, una Polaroid oscura y el reino de la memoria, que existe dentro de las células y que evoca siglos pasados y en ocasiones descifrados. De vuelta en Gante, no me apresuré hasta mi destino más deseado, sino que fui despacio, para apreciar mejor los pasos que me llevarían hasta allí.

En la catedral de San Nicolás, unos santos de tamaño natural se alineaban a lo largo del pasillo que conduce al altar mayor. Cada uno contenía un símbolo de su vocación o su destino: una llave, un libro, un instrumento matemático, incluso una sierra dorada. Me senté en un banco muy cerca de la estatua de san Bartolomé blandiendo un cuchillo de cocina extrañamente moderno. La luz se colaba por los altísimos vitrales; sentí un cálido arrebato de bienestar y escribí sin parar toda la mañana.

*Muchos niños corrían por calles adoquinadas, con espumillón atado a la cintura que ondeaba al viento, flotando tras ellos junto con las largas colas multicolores de las cometas. Cometas humanas, pensé mientras ascendían a los cielos, sin hacer caso de los gritos de sus madres. Había una niebla vigorizante, el color de las rosas y el rosado de las mejillas de las chicas, hasta que desaparecieron en su benevolente noche y, en efecto, se esfumaron. La Campana de Roland tañía y tañía, pero nadie se vistió para la batalla sino que todos lloraron, porque no había arma posible, no había fuerza humana que pudiera abatir los estragos de la plaga. Nadie podía impedir que las tarjetas incendiadas se quemaran y la catedral estaba atestada y muchos creyentes se tumbaron en el suelo de grandes losas, boca abajo y con los brazos extendidos. Y todas las piezas cayeron a mi alrededor como la nieve. Piezas de un juego perdido en el que nadie gana, salvo el tiempo, que sigue fluyendo a tal ritmo que me propulsa a un presente alterado. Un presente que teme una pandemia y el aroma pujante de una guerra global. Un juego, nada más que un juego, si la naturaleza pierde también ganará, porque existe el agua de la vida que es buena, y existe la lengua de fuego que no es nada salvo luz que se tuerce.*

Recé una oración y encendí una vela por los niños que amamos y aquellos a los que nunca conoceremos. Cuando me marchaba descubrí una escultura pequeña escondida en una hornacina detrás de un púlpito labrado con muchas filigranas. La mano de un artista esculpida de una forma exquisita, sujetando una pluma con plumilla, quizá preparada para hacer un boceto, pero evocando a la vez el acto de escribir. Pensé en las manos de William y sentí una tierna conexión.

En Gante, mi paso era más ligero, mi pluma más fluida, y mi corazón viajero estaba alerta a las numerosas cámaras del mundo. «Yo soy Roland», tañían las campanas. Empezó a lloviznar, así que me apresuré por la calle adoquinada para regresar cuanto antes al hotel. Se me ocurrió que por esas mismas piedras habían pasado siglos de creyentes y comerciantes, y los niños que había contemplado en mi visión cuando me había sentado a escribir en la catedral. Llovió con fuerza toda la tarde, y me entró sueño. Tomé un trago de vodka ruso Kauffman, comí un poco y me retiré temprano, con el televisor encendido. *Corrupción en Miami* doblada al flamenco tenía el mismo efecto adormecedor que contar ovejas que saltan vallas de nubes.

El sábado por la mañana salió el sol. Había reservado una visita privada a *La adoración del Cordero Místico* en San Bavón el domingo por la tarde, pero decidí verlo primero con la muchedumbre acumulada. Todos llenaban en silencio la pequeña zona que albergaba el altar. Siglos de barniz oscurecido y capas superpuestas de pintura habían sido retirados con la precisión de un cirujano para dejar a la vista árboles lejanos y chapiteles dorados. Nos fijamos en el coro de ángeles, el gentío adorando, los relucientes pliegues de las túnicas de las vírgenes arrodilladas y la túnica rojo sangre de san Juan Bautista. Los colores originales pintados al óleo relucían con la intensidad de la primavera, con flores silvestres que moteaban libremente los campos verdes. Sobre un altar se alzaba el estoico Cordero, el símbolo del sacrificio, su sangre se vertía en el cáliz de la alianza. En el cielo, el Espíritu Santo, con forma de paloma, repartía rayos de luz sobre la multitud.

*Los hermanos Van Eyck, codo con codo*

El domingo por la mañana hacía un tiempo nefasto, la violenta estela de las tormentas que azotaban Gran Bretaña. Emprendí el camino desde la calle Ramen hasta el puente de San Miguel, después pasé por delante de la catedral de San Nicolás, la antigua calle Belfry y la tienda de monedas raras; al verla me imaginé esas mismas monedas tintineando en los bolsillos de los viajeros del siglo XV. Doblé a la derecha, crucé las vías del tranvía y encontré un parquecillo coronado con el monumento a Hubert y Jan van Eyck. Por encima se cernía una grúa alta, una construcción que parecía haberme seguido nada menos que desde la ciudad de Nueva York. Aunque el parque estaba cerrado, pude contemplar a los hermanos a través de la verja de tela metálica. Hubert con un libro en la mano, Jan con la paleta de pintor, honrados por el pueblo con laureles, en gratitud por haber creado una obra maestra que magnificaba la importancia de la ciudad, desde su momento medieval hasta el futuro prometedor.

Los vientos se sumaron a la amenaza de lluvia. Rodeé la catedral por completo y exploré las hornacinas que estaban restaurando. Me vino a la cabeza una artista que crea máscaras con fragmentos de metal que va encontrando, y allí, a mis pies, hallé un trozo de rollo de metal que me pareció perfecto para ese fin. Al cabo de un momento visualicé unos clavos, como los que habría usado un carpintero de otra época, y ante mí apareció un clavo antiguo. Recordé los desperdicios de las celebraciones en Chinatown y me topé con árboles escarpados de los que colgaban serpentinas descoloridas. Al pasar por delante de una pila inaccesible de ladrillos rojos, me habría encantado tener una tiza con la que escribir, y al doblar la esquina, allí me esperaba la tiza, junto con una piedra pulida como una tablilla, que pareció materializarse en cuanto pensé en ella. El cielo se oscureció, y mientras los altos vientos creaban remolinos, apreté el paso con un arrebato de euforia, porque llevaba los bolsillos llenos de tesoros.

Más tarde, desafiando la lluvia torrencial, me reuní con el simpático personal del museo y tuve libertad para observar de cerca la obra de Jan van Eyck y los delicados ejemplos de su poderosa influencia sobre los artistas posteriores. Me quedé un momento ante el panel del arcángel Gabriel, con las alas del color de un higo cortado, enfrente del panel de la Virgen María, con los pliegues de la túnica bañados en luz. Incliné la cabeza y recé por mi hermana. Era el 16 de febrero, el día de su cumpleaños, y me había vuelto a reunir con el panel que había inspirado nuestra aventura clandestina más de una década antes, donde había podido hacer esa Polaroid un poco desenfocada que tanto apreciaré siempre.

Y las piezas cayeron a mi alrededor como la nieve, formando un cuadro de invierno. Un lapso de tiempo en el que me vi recompensada con tantos momentos místicos, un pedazo de tiza roja, una castaña, un trozo de metal oxidado, un clavo y una piedra plana que tenía la misma forma que una tablilla antigua. Pese a que no decían gran cosa sobre la magnificencia de la obra que había contemplado, esos objetos contribuyeron a inspirarme una satisfacción nueva. Los metí, con el mismo cuidado que un detective, en una bolsa de plástico limpia. Pruebas de que era consciente del valor relativo de las cosas insignificantes.

# El panel desvanecido de la entrada global

En el avión vi *2001: Una odisea del espacio* y me quedé dormida justo cuando un simio alargaba el brazo para tocar el Monolito. En realidad, dormí casi todo el vuelo y soñé que el panel desaparecido de los Jueces Justos flotaba en la superficie del mar Báltico dentro de una bolsa negra para cadáveres. ¡Lo han encontrado!, gritaba un público eufórico. Sin embargo, en una compleja escena de un juicio se decretaba que el cuadro debía permanecer sellado dentro de la bolsa, por miedo a que se desintegrara en el polvo sin sentido del futuro. A continuación, cada parte expuso sus argumentos, pero alguien me dio unos golpecitos en el hombro justo cuando iban a dar el veredicto. Me abroché el cinturón de seguridad en el momento en que el avión sobrevolaba el aeropuerto de Newark y lo escribí todo en una servilleta ancha que sin querer tiré a la basura cuando me vacié los bolsillos de camino al control de aduanas.

Mi breve viaje sirvió para recordarme que hay universos dentro de los universos y una armoniosa sociedad que comprende el valor de las pequeñas cosas, dispuesta por el destino para guiarla a una cuando cruza senderos cubiertos de obstáculos impredecibles. Mientras hacía cola, recibí un mensaje en el que me comunicaban que mi petición de obtener «entrada global» había sido denegada porque resido en Nueva York. Medidas punitivas impuestas por la actual administración sobre un estado que por lo menos tiene cierta dosis de compasión con quienes necesitan asilo.

*Debe existir el bien en el mundo.*

## El panel para la Esmeralda del Juicio

En una búsqueda desesperada de una vacuna, por lo menos dos mil quinientos macacos fueron contagiados a propósito con una cepa letal de coronavirus. Esos macacos fueron identificados como monos de laboratorio, como si constituyeran una especie propia, surgida únicamente para ponerse al servicio de la humanidad. Sus rostros enfermos no son los de los monos astutos y traviesos que reinaron en el año lunar de 2016. ¿Acaso un panel de divertidas ratas conseguiría alegrarlos de verdad? Algún día seremos juzgados por su sacrificio, que difícilmente podría considerarse consensuado. Intento sacudirme la imagen de sus ojos tristes mirando entre los barrotes de las jaulas metálicas mientras se preguntan qué será de ellos, y de todos nosotros, ya puestos.

El acto de escribir en tiempo real con el fin de evadirme, escapar o ralentizar ese tiempo es sin duda fútil, pero no del todo infructuoso. Incluso mientras escribo este epílogo de un epílogo, soy consciente de que ya estará obsoleto cuando llegue a manos de los lectores. Aun así, como siempre, me veo compelida a escribir, con o sin verdadero destinatario, entrelazando hechos, ficción y sueños, con fervientes esperanzas, para después volver a casa y sentarme junto al escritorio que perteneció a mi padre y en el que transcribo lo que he escrito.

Sam y yo solíamos compadecernos mutuamente por vernos atrapados por la incesante urgencia de escribir, tanto si llevaba a alguna parte como si no. Ahora pienso que fui afortunada de tener a Sam para poder conversar durante la mejor parte de mi vida. Éramos boyas salvavidas humanas, que manteníamos a flote la obra creativa del otro, incluso en su trance más difícil, el que él ganó espiritualmente pero que perdió como ser humano en la tierra.

Ahora estoy sola, pero supongo que puedo seguir hablando con Sam, igual que lo hago con otras almas queridas que en absoluto me parecen muertas. Puedo revisitar el país de una conversación de madrugada, cuando Sam solía llamarme desde Kentucky y hablábamos de toda clase de cosas, desde viajar en gabarra hasta navegar por la soledad. A menudo nos planteábamos por qué los escritores, en un afán de producir lo inclasificable, acostumbran verse obligados a poner una etiqueta que identifique una obra con la ficción o la no ficción. A ambos nos motivaba la perspectiva de escribir un libro de facetas tan únicas que uno no se sintiera presionado a distinguir una cosa de la otra.

Antes de darle las buenas noches, le suplicaba que me contase una vez más la historia de Hernán Cortés y la Esmeralda del Juicio, y en más de una ocasión me quedaba dormida, con el teléfono en la mano, antes de que terminase. La historia empieza con un regalo de Moctezuma a Hernán Cortés, una esmeralda de un palmo de tamaño y del color del mar, de por lo menos novecientos quilates, engarzada en una tira de cuero. Era rectangular, como las tablas en las que se inscribió la ley sagrada. Y se decía que esa esmeralda tenía poderes místicos y guiaba a Moctezuma a la hora de decidir.

Las versiones de Sam siempre variaban, en algún momento se alejaban de la historia, y cada vez más se fragmentaban en la memoria como si fueran tráileres diferentes de una película. Puedo proyectar ciertas imágenes de las historias de Sam sobre los paneles abiertos de un tríptico gigante. La estampa central refleja al explorador implacable que se asoma al abismo, con un brazo extendido en vertical, la tira de cuero atada alrededor de sus muñecas gruesas, la esmeralda hincada en el puño cerrado, mientras que los paneles laterales muestran el mar turbulento, las olas guerreras de Turner.

Desde la cubierta del barco, Hernán Cortés se ve arrojado a la vorágine. La naturaleza lo observa entretenida. El tipo tiene tan poco sentido común que resulta increíble. ¿Está dispuesto a morir por eso? No podrá comérselo ni bebérselo: ¿a qué se debe un esfuerzo tan apasionado por salvarlo? El borboteante mar lo escupe y él se salva, aferrando con fuerza su trofeo. Sin embargo, resulta que en el fondo no ha ganado nada. Hernán Cortés no logra atrapar el valor trascendente de la gema y no obtiene más poder que los nazis que poseían la misma lanza que, se rumoreaba, había perforado el costado de Cristo. Se creía que la lanza tenía propiedades divinas, pero no le sacaron nada. Porque dichos objetos poseen su propio código, y para que se muestren en su esplendor es esencial que las balanzas doradas se inclinen hacia el plato del bien. Porque debe existir el bien en el mundo para que el mundo prevalezca. Si se lo pidieras con un corazón caritativo, incluso dentro de su estoico silencio, la Esmeralda del Juicio, como el oráculo que Moctezuma consideraba que era, te lo diría.

*Jerry Garcia, Fillmore West*

# Panel del epílogo

A las cuatro de la madrugada me despiertan los furiosos gritos repetitivos de un hombre que está en alguna de las calles cercanas. Desde mi ventana veo la silueta de la Torre de la Paz; mientras las nubes se arrastran por el cielo magullado dejan al descubierto un brillante borrón de la superluna de marzo. Salta una sirena y, aun así, continúo oyendo esos alaridos, medio aullido de lobo, medio aullido humano. Hay una alerta en las noticias de que la población entera de Italia está en cuarentena, el país confinado. Me imagino cafeterías con máquinas de expreso doradas, museos, teatros y calles serpenteantes, vacías por decreto ley. Pienso en Milán, donde *La última cena* de Leonardo adorna la pared de Santa María de las Gracias; su resplandor pervive y mantiene una fantasmal vigilia sobre las asustadas provincias italianas. Enclaustrados, esperan el virus, como si fuese una acechante invasión bárbara. Y aquí es donde me despido, con la estrategia catastrófica que compite con la prudencia.

Cierro mi diario en el vestuario del Fillmore West, donde empezó todo, el día que cumplí sesenta y nueve años, preparándome para dar la bienvenida al año del Mono. En el pasillo histórico me uno a la banda, nos detenemos delante de la alcoba desde la que nos sonríe la imagen de Jerry Garcia y nos subimos al escenario con la esperanza de que nuestra jubilosa actuación ponga su grano de arena y contribuya a la alegría colectiva.

*Nueva York, Gante, San Francisco*

# Ilustraciones

P. 12: Dream Inn, Santa Cruz.
P. 21: Bombay Beach.
P. 26: Ayers Rock, monte Uluru.
P. 36: WOW Café, muelle de Ocean Beach.
P. 44: Monasterio de Kovilj, Serbia.
P. 47: Terminal de autobuses Greyhound, Burbank.
P. 61: Pagoda de la Paz, Japantown.
P. 66: Santuario Hie, Tokio.
P. 72: Bombay Beach.
P. 75: Cactus del Parque Nacional Joshua Tree.
P. 76: Puesto fronterizo, lago Salton.
P. 81: La autora.
P. 82: Estudio de san Jerónimo, Alberto Durero.
P. 90: El Stetson de Sam.
P. 94: Sillas Adirondack.
P. 95: Ventana de cocina.
P. 100: La taza de mi padre.
P. 105: El traje de fieltro de Joseph Beuys, Oslo.
P. 106: Mi maleta.
P. 109: Café A Brasileira, Lisboa.
P. 112: Mi silla, Nueva York.
P. 115: Ventana, Elizabeth Street.

P. 117: Para Sandy, Rockaway Beach.
P. 122: Jackson y Jesse, Detroit.
P. 126: Los zapatos del escritor.
P. 128: Los juegos de mesa de Roberto Bolaño.
P. 130: *El unicornio en cautividad*, Museo Metropolitano de Nueva York.
P. 142: Camiseta de Alexander McQueen.
P. 148: Retablo de los hermanos Van Eyck, Gante (Bélgica).
P. 152: Samuel Beckett, teléfono, Dublín.
P. 154: Bastón, Ghost Ranch.
P. 160: Cabina telefónica, Ciudad de México.
P. 180: Mano de la autora.
P. 183: Rata de metal.
P. 187: Frank Zappa, *Hot Rats*.
P. 191: Catedral de San Nicolás, Gante.
P. 196: Detalle de *El Cordero Místico*.
P. 200: Pequeños recuerdos de Gante.
P. 203: Vistas desde el puente de San Miguel, Gante.
P. 206: Monumento a Hubert y Jann van Eyck, Gante.
P. 211: Interior de una cueva, Yukka Valley.
P. 216: Jerry Garcia en el Fillmore West.

Las imágenes de las pp. 82 y 130 son de dominio público.

# Índice

En el Oeste profundo .... 11
UCI .... 63
El año del Mono, 2016 .... 67
Lo que dijo Marco Aurelio .... 83
El gran rojo .... 91
Interludio .... 101
De vuelta del mar está el marinero .... 113
Imitación de un sueño .... 119
Mariposas negras .... 123
Amuletos .... 127
En busca de Imaginos .... 131
Por qué importa Belinda Carlisle .... 137
Los santos ven .... 143
El Cordero Místico .... 149
El Gallo de Fuego .... 155
Una noche en la luna .... 161

Especie de epílogo .... 171
Epílogo de un epílogo .... 179
*Ilustraciones* .... 219

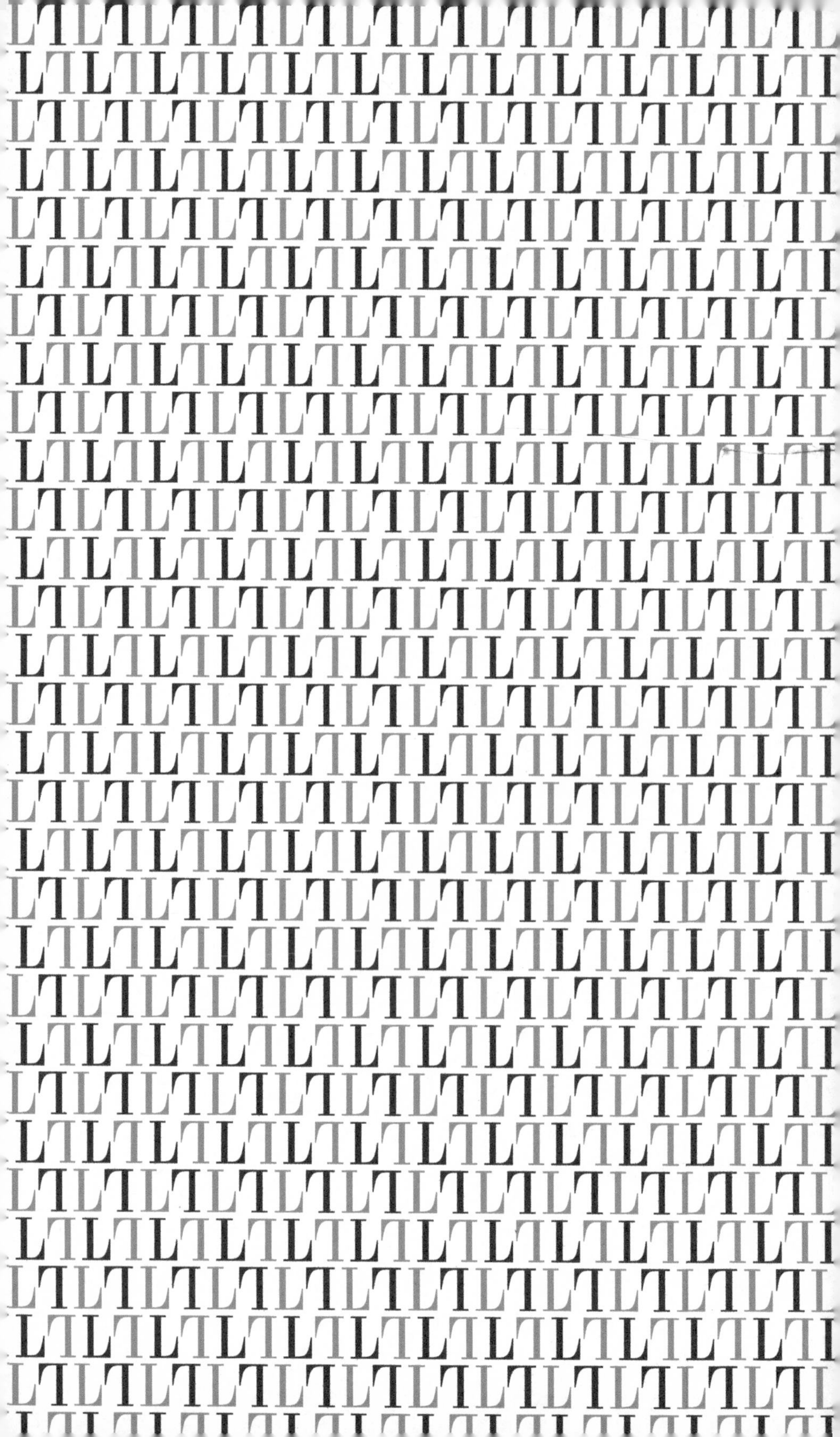